资本玩家

财神的红袍 著

北京出版集团公司

北京出版社

图书在版编目（CIP）数据

资本玩家 / 财神的红袍著 . — 北京 ：北京出版社，
2014.1

ISBN 978 - 7 - 200 - 09951 - 5

Ⅰ . ①资⋯ Ⅱ . ①财⋯ Ⅲ . ①长篇小说—中国—当代
Ⅳ . ①I247. 5

中国版本图书馆 CIP 数据核字（2013）第 168016 号

资本玩家
ZIBEN WANJIA
财神的红袍　著
*
北 京 出 版 集 团 公 司
出版
北 京 出 版 社
（北京北三环中路 6 号）
邮政编码:100120
网　　址 : www. bph. com. cn
北京出版集团公司总发行
新 华 书 店 经 销
北京谊兴印刷有限公司印刷
*
787 毫米×1092 毫米　16 开本　14. 75 印张　244 千字
2014 年 1 月第 1 版　　2014 年 1 月第 1 次印刷
ISBN 978 - 7 - 200 - 09951 - 5
定价: 38. 00 元
质量监督电话: 010 - 58572393

引　子

童远山失神地看着眼前的电脑显示屏，不断跳动的交易数字，在分时走势上犹如瀑布一般"飞流直下三千尺"。

自从这只股票出现"断头铡刀"的第一根巨量大阴线后，股价已连续出现大跌，K线图中，向下跳空缺口一个连着一个。

童远山半路出家，放着稳定的工作不干，不顾妻子的苦口相劝，辞职后义无反顾杀入股市，啃了一些书本后，便把全部积蓄投入股市。也是造化弄人，刚入市不到一年，恰逢市场出现恢复性上涨，在这种行情中，可以说买什么都能赚。

在股市尝到甜头的童远山，开始联系那些以前接触的一些客户和一些亲戚朋友，怂恿他们拿钱出来让自己管理买卖股票。由于初期投入的一些朋友见短期盈利远超储蓄回报，不但追加了投入，又不断拉更多的朋友介绍给童远山认识。童远山代为管理买卖的资金也就越来越大。

随着管理账户资金的规模呈几何级增长，童远山不满足于自己研究行情和股票，开始不断四处打探消息来捕捉大牛股。由于他管理的资金已具备一定规模，凡是他短期杀入的品种，股价都会由于短期买盘的大增而出现不同程度的上涨。这种胜利的不断累积，让他的自信心开始盲目膨胀。虽然女儿都是读高中的年龄了，童远山却被股市刺激得像刚出校门的年轻人一样冲动。

由于没有经历过熊市的洗礼和"熏陶"，一入市就时时处于顺境，毫

无资金管理风险控制意识的他，就像一只不断被喂食鲜草被养得肥肥的嫩羊，进入到狼群中后，丝毫没有害怕的感觉。

听消息的利弊就是有对有错，童远山忙进忙出地追逐消息股，还特别钟爱那些有重组题材的垃圾股。这些消息当然是需要出钱买的。童远山花大价钱成为几个"机构"的高级会员后，确实得到了一些消息，在利润面前，在暴利面前，他信服了，开始信奉炒股只有靠内幕消息才能发财。

现在介入的这只属于小流通市值的品种，也是他靠花钱买来的消息建仓的"宝贝"，从微利股变成半年报巨亏股，股价却天马行空，在最低价格的基础上已经翻了8倍。亏损股是没有市盈率可参考的，但每股才一元多的净资产，与现在的交易价格相比，市净率已是非常惊人。在股市中摸爬滚打很久的职业股民，对于这样的品种避之唯恐不及，但童远山入市不到一年，市净率之类不是他介入股票要研究的，他只信奉技术图形和所谓的消息。图形不好不操作，没有消息不大举介入，已成为他这几个月来操盘的圣经。

出了中报后，这只亏损但各种重组题材满天飞的品种曾有一波快速的下探走势，把追高介入的童远山套了个结实，童远山不断电话咨询透露消息给他的"公司"，那边让他继续放心持有，说这只是正常的利用中期报表所做的盘中洗盘动作而已，年报肯定会扭亏为赢，大股东会变更，二级市场的举牌动作也会明朗。

但这个洗盘动作似乎有点动静过大，当童远山被股价连续的下跌给砸蒙了，恐慌之下在跌停附近减掉了一些仓位。

就在他刚减到半仓时，股价却开始"绝地反转"了，从跌停直线拉升到翻红，当童远山目瞪口呆时，那边打电话过来告诉他，盘中的洗盘已经完成，创新高是必然的，让他坚定持有不要抛。童远山没敢马上补回，不断盯着盘希望股价能再次打到跌停上拾回。"人算不如天算"，股价在上一个交易日收盘价上巨量换手后，再次往涨停上直冲而去。

经过思想激烈斗争后，童远山终于忍耐不住，在股价上涨5%之后再次追进。但一直到收市，股价却并没能像那边告诉他的那样封住涨停，只在他追买的价格附近巨量收盘。

这个价格，离他第一次全仓追买的价格还差不少，但经过今天这样一折腾，童远山开始深信这只股票盘中的庄家实力强悍，自己今天这么恐慌卖在最低点是冲动了。他打定主意，股价不创新高，自己不赚钱，那是死了都不卖。

有时，"成功"离失败只相差那么一步。

这只题材众多的股票，并没有如童远山所期望和料想的那样，走出继续创新高的征程，只在剧烈震荡的第二天有盘中稍微一冲后，便重返下跌征途。

唯一不同的是，这次的开跌，换了种方式，不再急风骤雨般急跌，而是先慢慢地钝刀子割肉。在不断小阴小阳的重心下移后，击穿前期低点后突然又开始大幅跳空式中阴杀跌。

此时的童远山，还心存幻想，认为这是最后一次洗盘，但当股价击穿低点后出现了快速下跌，他却已如"温水煮青蛙"般，再也没有割肉止损的勇气。

暴跌后还是暴跌。童远山入市后赚的钱，都贴进去还不够填窟窿，因为有个长长的"船队"，他这只领航的船驶进了绝境，后面拖着的那些船自然也无一幸免。

当股价连续大幅下跌后，上市公司关于各方面重组谣言的澄清开始不断发布，套在股票上神秘朦胧的重组光环荡然无存了，等来的不是题材利好的兑现，而是巨亏中报和接连不断的澄清公告，恐慌情绪在这只股票的持有人中蔓延，大牛股顷刻间沦为大熊股。

童远山终于在意志濒临崩溃前把所有账户上持有的这只股票平了仓。他极其有限的自有资金全部提现后平摊打到数十个委托他管理买卖的资金账户上，但杯水车薪，根本无法弥补短期形成的巨大资金漏洞。

几天后，他从设在一幢写字楼 18 层的证券营业部交易室的窗口，纵身跳了下去。

第一章

夜晚的江边，习习凉风拂面，吹散了白天的酷热，空气中挟带着一股潮潮的水腥味。沿江两岸高楼耸立，鳞次栉比。点点灯火透露出一丝静谧的温暖。

每天傍晚，云在天都会到江边散步，享受一天中固定的"放风"带给自己的惬意。看着路上或行色匆匆的路人，或卿卿我我手牵着手的恋人，或和他一样漫步的各色人等，会让他消除一天的疲惫，身心得到片刻的舒松。

半小时后，衣着刻意普通得不能再普通的云在天，会穿过一栋栋豪华的江边住宅，闪现在繁华背后的一片普通得有些简陋的民宅中。

云在天不会在一个城市停留过久，他就像一个寂寞的旅者，居无定所，不停地更换着居住的城市。

外表看起来极不起眼的民居住宅楼，是云在天的最优选择。他每选中一个城市，通常都会寻觅一处闹市中的陌巷物业，然后买下来，如果这个城市以后不再回来，他通常在离开时就把物业转手，清理掉在这个城市所能留下的所有痕迹。

云在天打开房门后，第一件事是打开录音电话，然后泡上一杯西湖龙井，开始翻阅白天来不及仔细翻阅的几份证券报刊。

"头儿，我是小齐，今天货出得不是很畅，我感觉大盘明天可能会有一个下探的动作，您说明天牺牲哪个账户？"

"就用你那的账户接货吧，通知小吉他们，明天就用几个账户往上打个3%左右高开，10点半前一直维持在均价上面，然后过10点半就对倒上去，他们跟风的不是喜欢看开盘后站在均价上一小时的就是强势股嘛，把股价打到7%左右后就筑个平台派发，你管理的账户负责接货，他们把筹码全部倒掉，如果跟风盘踊跃，你那边恐怕也不用太多承接。今天晚上我再琢磨琢磨，看明天把筹码出清后，是停几日看看还是接着操作。"云在天拿起桌上的固定电话吩咐道。

"好嘞，我估计对倒后接的货不会太多，最近市场短线跟风资金非常多，进来的懵懵懂懂的新手傻钱也不少，和前阵子低迷市况不可同日而语了。那要不要请那个老师在博客上点一点?"小齐道。

"不用了，上次那只品种推得有些过了，他的胃口现在也越来越大，我寻思着把他那头逐渐放了，重新选择新的推手。我看现在不少网站民间高手也越来越有号召力，这个事过阵子让小唐动动脑筋联络联络感情。那就这样吧。"云在天索然无味地挂了电话。

由于在这个品种上投入不多，云在天没有亲自操作，只是选好了品种，放手让他的小团队操作。他在没有找到重点出击目标时，通常只调动极少部分资金玩几天就快速撤退，通常情况下，有5%至15%之间的利润就收手，绝不恋战。

"妈……妈……你醒醒啊……"云在天被一声难以形容的悲恸年轻女声惊了一惊，声音好像是隔壁传来的。云在天平时为人低调，尽量避免和邻居碰上面说上话，所以对邻居们都很陌生。他只知道，隔壁住着一对刚搬来不久，深居简出的母女，但印象不深。

他迟疑了一阵，考虑是不是要起身去看看时，周围邻居都听到了哭声。云在天站在门旁，只听外面声音嘈杂，楼上楼下的邻居都在朝自己所住这层"集结"，他想了想，摇了摇头，还是坐回了桌旁，继续看他的报纸。

由于经历了昨晚隔壁邻居家的喧闹，云在天研究到深夜一直无法定下心来，同时暂时也没找到可以攻击的题材，总觉得出手时机不成熟，所以一大早，他就离开了暂住地。随便在附近找了个证券公司，他坐在散户大厅看自己团队操作的那只品种的表演，一切都按照他的安排在进行。

对于团队的几名成员，云在天是完全放心的，经过他的悉心辅导和言传身教，团队里几名在股市中摸爬滚打时间还远远不够的成员，对于按部就班的程序还是完成得很好。在不出意外的情况下，这种操作云在天绝不会去过问。

他饶有兴致地坐在大厅里听别人聊股，每每都会有种刚进入股市时那种心跳脸热的记忆和回味。他想到了自己刚入股市那会儿，还是手工填单进行买卖操作，行情一好或者行情跳水，接单员的窗口都会排起长龙，在队伍前没一两个熟人的话，等长长的队伍轮到自己递上纸质的委托单时，往往股价的变化已是出乎意料。那时不但纸质的委托单要花钱购买，每次委托还要收取报单费，根本没现在的操作便利，直接在电脑上打开嵌入式委托窗口就能快速交易。

云在天的思绪随着营业大厅里大屏幕不断地滚动而飞驰，大屏幕忽然就像投影机一般，在脑海中浮现出带自己炒股的师傅和几个和自己一样不知股票为何物的师兄弟，一起在人流如潮的营业大厅里拼杀。也正是在这种嘈杂的环境中交易，培养出了无论在何种场合、何种噪音下，自己都能集中精神思考问题的能力。

中午，他随便吃了点，就去会议中心听有关宏观经济方面的演讲。台上演讲了几个小时，他打了几个小时的盹，一觉醒来，手机不停地振动。

他离开会场，小齐不惊不炸的平和语音在电话那头响起："头儿，汇报下工作，货出得还算成功，我这边的账户还是接了点货，他们的都已经出净。"

"行，那明天你把今天对倒接的货出掉吧，压低了卖，我估计会有资金进去博反弹，所以你那边的筹码未必会亏损很大，所有账户平均下来10%应该有。这只品种实在没什么激动人心的题材，短线能有这点幅度很不错了。"云在天道。

隔天晚上，云在天和他的小团队按老规矩找了家酒店聚餐，连他在内也就4个人。

"小齐，你那边的货今天全出干净了？"团队成员小吉一边给大家斟酒一边随意问道。"都出干净了。集合竞价就卖掉十几万股，我把申报价比昨天收盘价压低了5%左右，本来9点15分刚开始自由报价时，一些零星买单还申报在昨日收盘价基础上，我压低了5%申报一部分量进去后，过了一会儿就有买单零星进去贪便宜货，9点25分集合竞价开盘也只低开了

3%左右。"小齐刚喝几口就满脸通红起来。

"我看了看,盘中还有几次翻红的震荡,估计昨天也有些大户资金进去了,不过看样子介入的都不多,护盘的欲望不高。再回调几个交易日蓄下势,还有资金会再起一波的。"小吉看了眼云在天道。

"不错,你们现在都能独当一面了。不过,这类股票里虽然没什么实力资金,可以短线快速打出两三个涨停后马上撤离,也是现在的行情支持。各类游资这阶段都在各自为战,专拣那些筹码分散、缺乏主力守护的品种制造题材热点营造赚钱氛围,市场低迷了许久,都饿得发慌,第一波行情总是靠这类冷门股来逐渐养胖自个儿,为什么?因为它们绝对价格便宜,群众基础好,拉高了容易找到接盘,不像那些几十家甚至上百家机构持有的品种,还没拉起来就被互殴下去了。"云在天微笑道。

"头儿,接下来我们要出击什么板块?"一直未发一言的小唐眼波流转环视了一圈后,盯着云在天问道。

云在天一直以来不习惯小唐那热辣辣的目光,他敛起眼光后道:"熊市中的反弹,往往时间短,但短线爆发力较强,给人有瞬间'井喷'的感觉,但多数情况下量能是瞬间爆发后又呈逐级回落的态势。这种熊市中的反弹,把一批批的抄底资金套在了漫长的下跌途中,以至于最终到了真正的底部区域,市场的抄底资金几乎已经穷尽。熊市中的反弹,速度快而周期短,不能抱着对市场出现反转的美好期待。真正的牛市来临,有一个较长的周期可以放手操作,绝不会出现短期的所谓'踏空'。

"大趋势的扭转,就是资金与筹码的供求关系出现的大逆转所造成。目前来看,没有任何改变市场趋势大扭转的供求面的实质变化,那就最多先把它看作是熊市中级别较大的反弹来看待。虽然这些天盘面看上去似乎都在抢钱,热点此起彼伏的,但清晰的主线还是不明显,热点转换很快。而且从板块品种来看,大盘权重股明显缺乏热钱的流入,都是低价讲故事的品种在唱主角。我看大的动作还是要等等看,先不做出头椽子,观望一阵,市场也确实还没找到什么激动人心的题材故事来讲。一个大题材是可遇不可求的,等它慢慢培育形成端倪后,那就绝不能犹豫,出手一定要快。我们不抢头筹,只等大题材苗头显露后,选个冷门点的同题材股全力操作。在大块肉还未出现之前,仍然小规模出击即可。来,干了,今天只聊家常,不谈股票了。"云在天举起酒杯道。

日子一天天飞快过去，云在天仍然很有规律地过着单调而重复的日子。白天看盘选股，等候盘中波动下达买卖指令。晚上在江边散步后，先研究一大堆报纸，什么内容都看，虽然很多信息都无法在实战中用到，但这基本已成一种习惯，他又是一个不轻易改变自己习惯的人。

第二章

这天，到了晚饭时间，云在天要等一个传真，便叫了份有比萨的外卖，吃了一半觉得味道不可口，就扔到了门外，准备等会出去散步时带下楼去。好不容易收到了传真，云在天忙完后伸了个懒腰，就准备去江边呼吸下新鲜空气。

他慢吞吞打开门时，有个黑影正蹲在他门口的地上，他吓了一跳，急忙打开了门灯。

一双忧郁又有几分惊恐的大眼睛和云在天对视了一下之后，慌乱地躲闪到一边儿，低下头去。

那是个女孩，一只手正拿着云在天扔弃的比萨。云在天愣了愣，刚回过神来，女孩就逃也似的向隔壁跑去。

"等等。"云在天快步追上去，在女孩即将闪身跑入洞开的房门时一把拉住她道："这个脏了，你肚子很饿？"那女孩头低着，云在天看不到她的表情。她也不答话，还把身体转了过去，背对着云在天。

"你等会，我马上回来。"云在天转身跑下楼，去附近一家自己常用来打发中饭的快餐店点了一些菜，买了几两饭后，匆匆跑回住处。他轻轻走到隔壁女孩家，见门已经关上，迟疑了一下后，敲了敲门。

过了好一阵，门才慢慢打开一条缝，屋里漆黑一团。

云在天把装着饭食的袋子递过去，那女孩低着头并没有接。云在天保持着递袋的动作，僵持了一会儿，云在天有些不耐，伸出另一只手握住她倚门而扶的左手，把手上的袋子塞到她手上，微微点了下头后就走回自己的住处。

云在天回房后，对刚才匪夷所思的一幕仔细想了想，脑中的一些记忆碎片陆续重新组合起来，那晚的悲恸年轻女声应该就是这个女孩发出的，后来一阵嘈杂后，好像有救护车的声音，被送医院的应该是女孩的母亲，因为隔壁只有她们母女俩住。云在天思索了一阵，摇了摇头，并没打算去其他邻居那打听一番。一贯低调且从不喜欢管闲事的他，甚至有些惊讶自己刚才为何如此热心地奔下楼去给那女孩买饭食充饥。

已经下过一次楼之后，云在天没有再去江边散步的兴致，就继续坐在电脑旁做他每天必不可少的功课——复盘。

"小齐，在忙什么呢？"云在天看了会电脑后拨了个电话给小齐。

"在看股票方面的专业书籍补充养分呢。头儿，明天有没有什么可进攻的目标？几天不出手了，我们几个都闲着没事干，小吉这几日天天想请示你，但又不敢问，就怂恿着小唐去问你。小唐那丫头比谁都精，哪会上小吉的套。"小齐语速很快地道。

云在天知道他们几个还缺乏历练，冲劲有余而沉稳不够，就笑着说："怎么？几天不操作就沉不住气了？这几天盘面感觉太凌乱了些，寻找不到清晰的炒作主线，都是各自为战，大家都是小部队出击寻找市场的激情点。不过今天下午科网股感觉有些成气候了，联动性和相关性比较明显，这是一个热点形成前的征兆，虽然还没有直接往涨停上封的强悍龙头出现，但有资金在试盘的迹象很明显，我刚才把所有涉及科网的正宗和不正宗的相关概念品种都设到一个菜单里，然后反复剔选了几遍，筛选出 3 只比较适合我们操作的品种，这 3 只品种的共性是：流通市值相对较小、绩差但不亏损、绝对价格低、没有机构资金重仓持有、曾被市场认可过。"

"那我们明天就开仓吗？"小齐在电话中急忙问道。

"如果一个板块是市场中的存量资金所为，那最多也就'死水微澜'而已，搅不起什么浪花，如果新的增量资金开始流入，波澜不惊的水潭也就注入了新鲜的活力。既然已经有苗头出现，那么晚出手不如早出手。我选的这几只品种，都具备联动性，这次开仓两只，先高举高打其中一只，另外一只先小规模拿些。明天上午先得建些底仓，下午再高举高打吸筹，如是建了部分仓位后再反复打压建仓，时间上不允许。题材热起来后，来

抢一杯羹的快钱必定不少，板块内的品种只有那么多。"

"那我跟他们说一声，明天听头儿指令下单。"小齐道。

云在天又和小齐就价位和需动用的账户和资金分配问题方面的细节研究了一会儿，挂了电话后又把所有涉及相关热点的品种梳理了一番。反复思考到凌晨，确信自己所选的两只准备操作的品种是最佳目标后，又给小吉和小唐布置了明天的操作计划。

隔天，云在天一大早就去小齐所在的操作室坐镇。这次他准备大干一场，集中优势兵力操作昨天选定的科网概念股。

"头儿，来这么早啊？我今天特意赶了个早，可还是落您后头了。"小齐一头汗珠地推门而入。

"先培养下感觉，有阵子没来直接下单操作了。营业部和其他地方看盘感觉不同啊，这就好比直接现场压筹码和电话或网络下单压门子，感觉气氛完全不同。"云在天笑了笑道。

"您以前不是常教导我们，股票买卖是投资，和赌博可有本质的区别！"小齐擦了下额头的汗珠后道。

"那只是针对稳健的投资模式而言，像我们现在这般超短线的运作，通过展开集中优势兵力展开短暂的猛烈攻击来影响股价的变动，从而博取价差收益，哪能算得上投资？市场早已给这类操作手法定性为投机资金了，也有定性为游资热钱，更有称涨停板敢死队的，反正变着法弄得神秘兮兮的。"云在天看着即将跳出报价的电脑屏幕道。

"投机有什么不好的？只要有利润，那是八仙过海、各显神通。我们不靠内幕消息做局，凭眼光和市场嗅觉来博取价差收益，比那些老鼠仓不知要干净多少呢？"小齐坐在云在天侧首看着另外一台电脑屏幕道。

9点15分时，股票都陆续出现了报价，云在天看了看两市的涨幅第一板，一些昨天的强势品种均出现不同程度的高于昨日收盘价不少的报价，而他关注并准备操作的两只品种皆呈现乏人关注的状态。

"到9点24分时，你递张一千手的买单进去，比昨天的收盘价高3个百分点。"云在天吩咐小齐道。

"头儿您准备高举高打收集筹码了？"小齐打开自助委托系统准备报单。

"这个题材应该会跑出来吧，感觉还不是小行情。今天先推个涨停看看抛压重不重，有没有人跟咱抢货，有没有潜伏在里面的资金有狙击动作再说。"云在天呷了口茶后道。

小齐申报好一千手的买单后没多久，集合竞价便开盘了。

"指数只是个平开状态，指数权重股表现仍低迷。目前阶段市场仍未吸引外围资金大举介入，所以场内资金只是集中攻击小市值且长期跌幅巨大的品种，这类品种通常都是深套盘，抛压轻得很，不用很多资金就能轻松把股价打上去。你看很多品种盘中经常出现很戏剧化的买单，这种买盘可以理解成是做盘的密电码，是在'联络试探'呢。"云在天扫了一眼大盘指数和涨幅榜道。

"呀，还没全部买到呢，只成交了六百多手，还有三百多手没成交啊。"小齐眼睛一眨不眨地盯着显示屏道。

云在天拿起电话拨了个号："小吉，你和小唐今天用一些账户慢慢吸点昨晚所说的那只票，我们操作的这只票你们别管，不过等会打上涨停后，肯定会带动你们要吸纳的那只，高于5%涨幅就不要买入，现在两只票都还没筹码可压盘。"

云在天交代过小吉他们后，打开了面前交易电脑的自助委托系统，在9点29分时，连续报进去几笔几百手的单子。

正式开盘后，上挡卖盘稀稀落落的这只票，被云在天申报进去的几笔小买单又往上打高了2%左右。云在天停止了申报买入，仔细观察是否有其他资金进场。15分钟后，在没有大单介入的情况下，这只股票的股价在小卖单的抛压下，逐渐有下沉的趋势。

"你就一点点地报买单进去吧，下面挂些，上面的那些小卖单一点一点地买掉些。"云在天以一种很舒服的姿势缩在皮转椅里道。他知道，现在能吸到一点是一点，他的计划是中午收市前把股价打上涨停。

"明白，这个阶段是最繁琐的。"小齐边笑边不断化整为零地在那闷头吸纳小卖单。

接下去的一个多小时，这只股票的基本波动区间维持在4%至6%之间，云在天看了会儿成交回报，并没能吸到多少筹码，由于这只品种还处于相对底部低位区，层层的套牢筹码早已被甩在上方，目前的价位已经鲜有割肉盘不计成本地抛售，所以即便股价盘中已经上升了6%，也拿不到什么货。

"这样吸不到筹码，你申报张 5000 手的买单进去吧，就填涨停价买。"云在天吩咐小齐道。

小齐点点头马上开始报单。

这只股票在 5000 手的买单扫货下，直接就冲上了涨停，分时走势上呈现陡峭的直线拉升形态。

"确实没大的抛单出现，马上再连续分批报些大单进去。快！"云在天道。小齐以极快速度报了一批大买单进去，这样，在涨停上排队靠前等成交的大单几乎都是云在天他们的了。

"要不要玩一下快速撤单的把戏？这样涨停可能会马上被零散的卖单砸开？我们也能在涨停附近再拿多点筹码。"小齐侧头注视着云在天道。

"不行。涨停被砸开的效果和多拿些零星筹码相比，后者是得不偿失的。封住了涨停就最好不要打开，越买不到的东西给市场的感觉那是越强势，涨停一直封到收盘，才有龙头相。下午我不看盘了，你盯着吧，万一出现有大单试图砸开涨停的意图，你就全接住了，一刻也不能离开电脑，涨停绝不能被打开。"云在天看了看另外一只小吉他们正在吸筹的品种后道。

"知道了头儿，保证完成任务，您一万个放心。"小齐乐呵呵道。云在天知道他是个天生的乐天派，点了点头后拿起电话："小吉，我们这边的票就先送涨停上去了，你那边筹码接得怎样？"

"情况不是很满意，吸不到货，稍微递张大点的单就能把股价打飞了，我这边和小唐那边都是小单子不断地买，您那边的品种打上涨停后，我们这只马上有资金连续在追买，现在涨幅也接近 7% 了，您说超过 5% 涨幅就别买了，我们现在只能观望。"小吉有点遗憾地道。

"没办法，两只品种一起运作风险较大，不过我这边的，我决定拿它来做领头羊操作，你们操作的那只算跟涨，要是没其他资金豁出去赌一把的话，等会儿就会盘整起来。你们只要盯着盘就行，如果下午股价带不上去，就在这位子盘整，明天我们做主打品种的宽幅振荡时，那只跟涨的还能吸一点便宜货。"

中午，云在天叫上小齐去附近的西餐厅吃了套餐后，便独自回住处休息。

第三章

云在天回到住处，掏钥匙准备开门时，不由自主地望了望隔壁那扇紧闭的房门。

他慢慢踱了过去，刚想按门铃，手在空中迟疑了一下后，还是没去按门铃。

回房后，他一一打开桌子上并排放着的电脑显示屏，然后习惯性地拿起一沓报纸随意翻了起来，对于特别有参考作用和利用价值的信息，他会剪下来，妥善收纳到身后大书架上的一排归挡文件夹里。

看了会儿报纸，下午的行情就开始了。他准备集中资金操作的这只品种在涨停板上压根儿没什么抛盘，零零星星的小卖单稀稀落落地维持着涨停上的成交。

云在天又打开了另外一只小吉正在吸筹的品种，刚看了没多久，突然在前5挡买盘里连续出现777手的买单。云在天眼皮跳了跳，脑中立刻闪现出那个头发永远乱糟糟、长着一只大红酒糟鼻子、身材魁梧圆实的身影来。

"马上就会冲涨停了！"云在天心里暗暗嘀咕了一声。果不其然，他心中的感觉刚出现，这只股就被连续的大单快速拉上涨停位。

云在天马上拨了个电话："小吉，你们那什么都不用做了，还记得以前和你们提到过的'牛疯子'吗？这只票肯定是他冲进去了。你在它涨停下面的买五上凑成个444手的买单进去，过半分钟就把单撤了，我看看有

没有什么反馈。"

电话刚挂，电脑屏上这只股的买五挡上马上就出现了444手的买单，云在天笑了笑，心想这买五上本来有几十手的小买单，小吉心算出凑成444手需要递进的数量，加上报单，这种速度自己现在快没有了。

等半分钟小吉把买五上的单子申撤后，云在天就盯着自己上午全力操作的主力品种的分时成交状况。过了几分钟，自己这只封住涨停品种的买五及买四上，突然都出现了工整的444手的买单。云在天正好喝了口茶，差点没把满口的茶喷出来。

又等了几分钟，这买五及买四上的444手在不停地变化，有些小买单也在里面捣糨糊，不时添个4手或14手的买单进去，买四、买五上不断出现448手或458手的"吉祥"手数，又不断有444手或454手的手数出现。

云在天心想，这牛疯子就是精力充沛，报个单进来确认一下不就得了，还要玩这种报报撤撤的过家家。

"小齐，你在买三上报张单进去凑成777手，然后过半分钟就撤了。"云在天电话吩咐小齐道。

小齐也不问缘由，放了电话马上报单。立即心算出需凑成777手需要递进的剩余数量和报单步骤，云在天觉得小齐的速度几乎和小吉一样迅速。

收盘时，除云在天全力操作的品种牢牢钉死在涨停上外，科网概念题材股已全面启动，昨天已经开始大幅拉升的此类品种，走势却开始有些疲软，并没出现再接再厉连续封杀涨停的强悍操作。

晚上，有全力出击品种的时候，按惯例几个人都会用一起吃晚饭，顺便探讨总结。

云在天问服务员拿了几个打包用的一次性餐盒，然后把还没动筷的菜先拣个拣了些放好。其他几个人都有些好奇，都不清楚云在天为何有此举动。云在天瞟了他们一眼，笑着解释道："这几天晚上都会很晚睡，等会儿再点碗炒面带回去，算是夜宵吧。你们对今天的大盘和板块热点有什么看法？不妨各抒己见。头脑风暴才能优势互补，不断进步嘛。"

"昨天有些资金按捺不住开始运作科网股概念，可今天好像又泄了气，手怎么都这么软啊？"小唐总喜欢第一个发言。

"未必是手软，筹码都没吸足，昨天率先起来的，今天手里有了些筹码后，就会不断利用这点筹码来强制股价盘整，目的还是拿到更多的廉价筹码。我本来也打算明天开始做个冲高回落的分时图形来吸纳更多的货，可是今天牛疯子出手了，我临时决定这次孤注一掷，明天继续往涨停上打。这次我们来做领头羊。"云在天缓缓喝了口茶道。

　　"高举高打的话，成本会很高。这样的话，我们需要全力出击了，会不会风险太大了?"小吉提醒道。

　　"牛疯子? 是不是前几年大牛市时，和我们一起运作那主题投资的牛魔王啊?"小齐补充问道。

　　"我先回答小齐。你说得不错，那时候我们保守，选了同题材板块内的几只质地不错的品种分散出击，虽然踏准了市场的脉搏和节奏，但由于资金分散，且这几只品种被散户看好，我们做得很辛苦，又没有特别大的资金进来操作，要不是行情特别火爆，我们可能到现在还有很多筹码砸在手里出不来。而牛疯子对于这题材内的好公司一律不关注，选了一只最差强人意的公司，散户都不看好的品种来全力操作，最后他操作的这只品种成了整个题材内涨幅最大的品种。虽然跟着他运作的资金也有不少，但他这种全力操作一只品种的风格确实超越了同板块其他的规模资金。

　　"再回答小吉，今天我让你们挂了后又撤掉的 444 手和 777 手的买单，是我和他达成的一种盘中暗号，目的是为了避免钻进一只票里互殴的局面。我们今天率先发动涨停，虽然在买单上没有做什么暗号，但他的嗅觉一贯灵敏得很，觉察出一个大题材刚开始有山雨欲来的苗头时，他是不肯落后的。他那种凶悍的作风，一旦认准了一个概念，好像都非做领涨品种不可。今天我们操作的这只涨停品种，领涨的龙头相刚刚开始，如果明天一软，不说牛疯子他，被别人抢先弄出最强悍品种后，我们这只票的地位就会衰落，反而得不偿失。所以，这次我们是退无可退，要么楼上楼，要么楼下搬砖头。我觉得市场低迷日久后，人心思涨，现在做只领涨品种出来，等市场快速回暖后，我们派发起来也会很畅快，因为每天看强势品种做超短线的资金最喜欢的就是龙头股。"

　　"头儿，我们都没见过牛疯子，他是怎样一个人? 这称呼实在有些不雅。"小唐问道。

　　"他应该有四十出头了，外形嘛，就像古代的侠客一般，不修边幅，

嗜酒如命。他曾和我提过，平生最爱老酒和股票，这两样东西进棺材前都不会戒掉。他不但口若悬河，且精力极其充沛，交游很广，为人非常豪爽。我第一次也是唯一一次见到他时，总觉得他不应该进入这一行。我一直认为股票这种交易，性格冷的人似乎更合适些，他这样的热血也从事这个'勾当'，绝大多数人都会觉得很出乎意外。至于你觉得不雅，那不过一个绰号或者说代号而已，不过也有人说他本姓牛，由于操盘手法凶悍，又不分市场状况都是积极操作的劳动模范，故有牛疯子一称。"云在天望着酒楼窗外微笑着说，神色间仿佛有些略带神往。

"我们头儿很少佩服人，除了师傅外，一向视那些正规机构的资产管理为酒囊饭袋哦。"小唐注视着云在天道。

"任何地方都有潜龙伺伏，酒囊饭袋不是天生的，而是那种旱涝保收的体制造成的。换个环境，毛毛虫也可能会华丽转身。时间不早了，我们商量一下明天的操作程序。"云在天看了下表道。

"明天是直接开在涨停上还是稍微跳高一点开盘?"小齐说着拿出笔记本和笔。

"明天小齐你那边的账户就先不用开仓了。小唐那边的账户开始开仓，看集合竞价的买盘是否踊跃，然后根据买量开盘，不用直接开在涨停位，那样成本就高了，一路慢慢推上去接的筹码也多。封上涨停后，无论涨停上的抛压如何沉重，小唐那边的资金即便全部打光也要接着。

"我初步计算了一下，小唐手上的资金明天完全能托住涨停，如果不够，小吉管理的账户开始增援。后天，对倒高开后，小齐拿的底仓可以先倒出来由小吉接着，上午高开个8%左右后一路压下来，弄个高开低走的分时形态来个大洗盘，这样日K线上就是一个高开的大阴线，可能会震出很多短线止盈盘。然后就在收盘价附近来回震荡，到时看筹码的掌握程度，再决定是连续做几日震荡阴线后再起一波，还是下午再去封涨停。这是我设想的基本步骤，大家还有什么建议的话不妨尽快提出来。"云在天说完后扫视了一下几个人。

小齐和小吉互相对望了一眼后都摇了摇头。小唐却道："头儿你明天来现场指导吗?"云在天夹了块甜点拿到眼前，看着筷子上的甜糕道："也好。"

几个人随便聊了些题外话之后，结束了聚餐。云在天结账前要了份炒面，他是这家饭店的常客，知道这里的葱油炒面味道上佳。

回住处后，他先走到邻居女孩家门前，把装着一包菜和一碗炒面的袋子挂在了她家房门的门把手上，按了下门铃后迅速躲回了自己住处。

他伏在门边，只听门打开后，过了一会儿才有塑料袋子特有的窸窣声发出，然后是轻轻掩上房门的声音。云在天暗嘘一口气，心想这样的结果也是他满意的。

离开门边时，他突然惊觉自己好似有些奇怪，一瞬间对自己有如此怜悯之心感到有些莫可名状，一贯冷静处事、波澜不惊的性格，血液中甚至有些冷酷因子的他，对自己如此关注一个小女生，心中不由生出一种奇异的感觉。

他摇了摇头，打开厨房的顶灯后，在一排茶叶罐中搜寻起来。

云在天业余爱好匮乏，生活简单，但在茶叶的消费上却舍得花钱。他住处的厨房内缺的是锅碗瓢盆，但冰箱里、橱柜中、餐桌上，多得却是各种各样的茶叶罐。以往他回住处第一件事便是泡一杯茶，今天突然想喝杯咖啡换换口味，也许是心情不错的缘故。

他对咖啡是外行，随便泡了杯速溶咖啡，就坐到电脑旁做起例行的每日复盘功课。

第四章

　　咖啡的香味让他有些微的兴奋，想到白天盘中报单时作出的恰似顽童游戏般的举动，他突然很想和那久未谋面的牛疯子在电话里聊聊这一个阶段的大势和板块热点方面的机会。两人仅有一次的会面，曾互留了手机号码，但都没把真实姓名告诉对方。

　　云在天有过目不忘的记忆力，这是他能迅速冒出来的先天优势之一。那张记着电话号码的小纸片，云在天很清楚放在哪个地方，他并没去翻找出来，由于从未联系也没把电话号码设在手机内，只凭记忆在手机上拨了一连串的数字后，电话那头响起了西班牙斗牛士进行曲的待接铃声。

　　斗牛士进行曲响了好一阵，电话终于接通，电话那头传来了中气十足的声音："知道是你，不过上次大家都只留了个电话，我随便在电话簿中写了个书生的记号，想来是你，你电话簿里怎么写姓名一栏的？牛疯子吗？"说完便一阵开怀大笑。

　　"没有，就用了老牛这个称呼。最近还好吧？股市上的战绩如何？"云在天把电话从耳朵旁稍微移开了一点。

　　"别提了，我是牛市熊市都熬不住的性格，管不住自己的手，所以把上轮牛市赚的钱几乎都还给了市场。不过总体上还是赚钱的。看来以后熊市不能干，得学学其他人所谓的右侧交易，不能像蜜蜂那样太辛勤喽。你的情况如何？"牛疯子提到自己的战况，大嗓门有了点收敛。

　　"也不尽如人意啊。中途忍不住操作了一把，还有些意气用事的重仓位，最后看看趋势实在不行了才损手出局，亏了有四百多万，现在看来还算壮士断腕非晚矣。今天不谈过去了，打电话给你，一是交流下对目前大趋势的看法，二来嘛，今天那777的记号是你摆出来的吧？"云在天忍住笑。

"我先不回答你，先要问问你，那444手的买单是你递进来的吧？我就感觉兄弟你嗅觉敏锐，肯定是昨天看到科网题材有异动的迹象忍不住了，今天是想做领头羊来着，对不？"牛疯子道。

云在天心中已经了然，所以就避开这个话题继续道："我觉得这个超级调整浪已经穷尽了，现在市场人心思涨。况且，融资功能基本丧失后，这个市场的主要功能之一就是企业融资的大平台，不可能长期低迷下去，现在这种时候操作是最佳环境，虽不说鼓励炒作，但激活市场显然是各方都愿意见到的。每轮熊市末期都是这么个环境，连拉涨停都很少受到来自监管层面的特别关注。以我的粗浅分析而言，有波大行情正在酝酿。"

"我这人长期、中期和短期都看多，是个标准的死多头，所以才被人称作牛疯子。我也不管大趋势是反转还是现在这样回光返照似的抽一抽又重返跌途，反正看到有资金猛烈进入一个概念板块，总是缺不了咱这一份子。要说对热点的感觉吧，这么多年耗下来，七七八八也看得出明堂了。我今天一早就在找目标，你那只票昨晚我也选出来的，今天早盘有点迟疑手慢了，所以后来才进入另外一只票。咱长话短说，明天你是准备开盘就直接去涨停，还是稍微高开点后一波一波推上去？"牛疯子说话语调虽粗犷，话却都砸在点子上。

云在天稍微顿了顿，决定不问他明天如何操作："我觉得还是第二种方式更合适些，现在市场人气刚刚恢复不久，太过凶悍的手法与整个大背景有点冲突。"

"我觉得你也是用一波波推上去的方式，从以前的作风来看，你就是相对保守和稳健的。做盘不凶悍，就难以吸引人的眼球。把拥趸和粉丝忽悠进来高位接盘不是最高境界，最高境界是把那些一直持否定态度、排斥态度的也忽悠进来。那么靠的是什么？不是推手，而是真正的赚钱效应，进到股市里来的资本，逐利是唯一的目的，至于贴上诸如长期投资还是其他投资理念的标签，最终都是为利润最大化寻求说词而已。所以，做盘者深入研究股市中的羊群效应，剖析大众喜欢什么，不喜欢什么，才是最需

要做的功课。不谈这个了，咱随便聊聊。"牛疯子回避了这个问题，也没透露自己明天的操作思路。

云在天暗暗笑了笑，知道他这个人粗中有细，在市场生存这么久还活得挺滋润的职业炒家，哪个都不是易与之辈。

两人海阔天空侃了一阵后，云在天觉得耳朵有些疼，突然醒悟打了一个多小时的手机，却没用耳机线。

挂了电话后，云在天嘴有些干，就去客厅净水器处加水。忽听房门有轻轻敲击的声音，云在天看了看门铃，心想自己要是不在客厅靠近房门的位置，这么轻的敲门声恐怕就忽略了。

他慢慢走到房门处，打开门灯从猫眼往外瞧。只见一个女孩低头站着，黑色的如瀑长发覆盖住脸部。

云在天打开门问道："嗯，有事？"

女孩缓缓抬起头，有些紧张地迅速瞄了一眼云在天后，从身后拿出个玻璃小瓶子来，然后用几乎听不到的声音道："这个，给你！"

云在天借着屋内的灯光打量了一下眼前的女孩，皮肤就像牛奶一般娇嫩光滑的她，长长的黑睫毛下的一双大眼却望向地面，看着她双手捧着送到自己眼前的瓶子，里面有着五颜六色的纸折幸运星。云在天迟疑了下，望着这邻家的女孩，然后伸手接过玻璃瓶后目测了下问道："77个？"

"嗯。"女孩好像有些意外地再次抬起头望了眼云在天，眼神中混杂着一种无助、失落、迷惘又有些坚定的神色。云在天心里咯噔了一下，见她带着些许疑问的表情后，便解释道："平常就和数字打交道，所以瞎猜了个数，没想到还猜中了。"说完突然意识到站在门口交谈有些不礼貌，马上侧身做了个邀请的动作："进来坐会儿？"

女孩轻轻摇了摇头，微微点了下头，便转身准备离开。"我对数字有偏好。相对来说还是喜欢再加上十一的那个数字。"云在天还想和她聊上几句，就找了个话茬。

女孩顿了顿，脚步放慢但并未回身。云在天看着她继续慢慢走回自己住处，连忙把还想说的话咽到腹中。

云在天回书房后，把装有77个幸运星的玻璃瓶放在书桌上，望着瓶中色彩缤纷的纸折幸运星，云在天瞬间如过电一般，学生时代的一些浪漫插曲在脑中一幕幕像放电影一般。

思绪飘忽了一阵，他回过神来，望着眼前一溜显示屏上的红绿数字，以及铺天盖地似的还没及时处理消化掉的各类纸质信息资料，摇了摇头笑着自言自语道："人生最美妙的阶段是一去不复返了，现在正步入面目可憎的阶段啊。"

　　正当他聚精会神地弓着身猫在电脑前，看网上对科网股的各种评论和争论时，又听到轻轻的敲门声，这种声音虽然只听过一次，但好像已在他脑中扎了根，他连忙起身去开门。

　　门口站着的依然是那邻家女孩，又是低着头的她，慢慢伸出右手，然后松开握着拳状的手掌，11 颗粉红的幸运星在她白皙娇嫩的手掌上熠熠生辉。

　　云在天突然有种好久都未曾有过的感动，盯着她手掌上那 11 颗幸运星呆呆发愣。

　　女孩见他一直这么愣着，轻轻咳嗽了一下。

　　云在天马上警醒，有些不好意思地伸出右掌并问道："刚折的?"

　　女孩轻轻把手中的幸运星放到云在天手掌中，又轻轻说了声："希望它们能给你带来好运。"肌肤微微相触的那一瞬间，云在天感觉到了对方手指的微凉。

　　云在天看着自己的手掌，竟然有些微微的颤抖，这只平时申报出大手笔交易指令都未曾有丝毫迟疑的手，竟好像承受不了这几克重的分量。

　　这一夜，云在天几乎失眠。他对自己这种奇怪的表现，对自己早已训练得炉火纯青的"泰山崩于前而色不衰"的定力，突然有了种很否定的怀疑。

　　既然睡得不踏实，他索性改变了每天准 8 时起床的习惯。早早开了电脑看外盘，看期货和外汇之类的交易行情，一直在电脑前消磨到了该去小唐所在的营业部做盘。临走，他把那瓶幸运星塞进了随身的公文包里。

第五章

小唐所在的营业部，在全省甚至全国都是有名的大资金集散地。这个营业部和小齐、小吉所在的营业部可谓天壤之别，一般成些规模的资金，要想在这营业部中获得青睐非常困难。云在天当初让小唐在这里设点，也是看中了这个营业部经常上榜的背景。

9点整，云在天来到了小唐所在的包间，这里的设施和它全国都出了名的知名度相比，显然有些简陋寒酸。

"你每次出现都像是怀里揣着秒表一般，在我印象里，你可从没早到一分钟或晚到一分钟。"小唐笑着说。

"那是你正好没碰上，昨天在小齐那就早到了一小时。"云在天知道小唐每天的就位时间，如果自己早到，面对小唐那热辣的眼神，他总感到有些尴尬和别扭。

9点14分时，云在天放下手中的报纸道："先报个5000手的买单进去，价格嘛就以涨停价来申报，看看这点资金能不能打到涨停位。"

"好，反正9点20分前能撤掉买单，先试试抛压重不重。"小唐边报单边说。

单子递进去后，也到了9点15分，这时所有股票都开始收集买卖单。

云在天看了看自己操作的这只品种，出现的集合竞价是涨停价。

过了3分钟左右，申报的买单比云在天他们报的单子多出了几百手，但价格并没被压下来，仍是个涨停位的格局。云在天马上看了眼牛疯子操作的那只品种，发现才高开了 3% 左右，申报进去的手数也不大，只有 800 多手。

9 点 19 分时，云在天简单说了声："先撤了吧。过一分钟后报 1000 手买单进去，价格定在昨日收盘价的 5% 以上即可。"

在 9 点 20 分至 9 点 25 分这段时间里，云在天操作的这只品种始终未出现大的买盘和卖盘的增加，只有一些零星的买卖盘在积累。

而牛疯子操作的品种，则一改集合竞价前 5 分钟时的买单清淡，而出现了买单连续增厚的态势，同时集合竞价的价格也是水涨船高。

开盘后，云在天的品种只高开 4.6% 左右，而牛疯子的品种直接被连续增多的集合竞价买单封在了涨停位。云在天轻轻拍了下腿道："他的风格是不会变的，还是什么事都想做老大。我临时改变了主意，今天先不一路拉上去马上封涨停，上午盘一盘，中午收市前封上去。"

按照既定方针，在中午收市前，云在天和小唐把股价封到了涨停位。云在天看了看两市涨幅榜，自己操作的这只品种由于绝对价格低的因素，在涨幅榜上排在了第一位。

"人算不如天算，虽然老牛他开盘就把那只票直接封上了涨停板，这种'一'字涨停的凶悍手法是他的拿手戏，但他这只票在涨停比例的小数点上差我们那么微弱的零点零几，从涨幅榜上看，我们还是最显眼的。"云在天伸了个懒腰后道，"上午的战役结束了，走，先去填饱肚子。"

吃饭的时候，云在天想的不是股票上的事，看着小唐吃菜时左挑右拣的样子，云在天不禁想起邻家女孩那带着深深迷惘、失落和黯淡的眼神。

这也是几天来他心头一直解不开的结，为什么那女孩要捡自己丢弃的食物？她父母在干什么？这些疑问在云在天的心头几乎浓浓地越来越化不开。得找个机会好好了解一下，不能这么莫名其妙地淡漠下去，还有就是自己只是晚上送点食物给她，那早晨和中午怎么办？云在天紧锁眉头暗暗打定主意。

"你怎么不吃？在想股票的事吗？"小唐凝神望着云在天问道。

"吃东西要营养均衡，每种食物都有人体所需补充的成分，你这样挑食，恐怕不妥。"云在天不答反而数落起小唐来。

"为了减肥嘛，没办法，我是喝水都会胖的体质，如果在饮食方面不加以控制，那就没法出来见人啦。"小唐做了个调皮的鬼脸。

云在天随意点了点头，三下五除二地填饱了肚子后道："那下午你继续盯盘，有什么事随时联络，我就不回营业部去了。"

"还有什么关键的问题要吩咐？"小唐收起笑容认真问道。"不能让它打开涨停是最重要的，你就多费心盯着，如果涨停价上买盘减少了，你就加点进去。"云在天站起身道。

目送小唐离去后，云在天踱到附近的西点房，挑选了几种自己平时比较常吃的面包蛋糕，买了一大包后回到住处。上楼后，云在天直接走到女孩住处门口，按了按门铃。等了好一阵却没动静，他想了想，准备等买了晚饭后一起放在她家门口。

下午的交易用激烈震荡来形容一点不为过，大盘由于连续几天的上攻，积累了大量的短线获利浮动筹码，同时短期分时指标超买严重，在市场刚经历过一轮超级大熊市后，持股心态普遍不稳，落袋为安的想法占据了主流。

盘中买盘一出现衰竭征兆，追涨买盘立刻便销声匿迹，此时部分超短线资金打提前量走人，分时图上呈现出一个过于完美的头肩顶后开始跳水。

云在天虽然没有待在营业部里盯盘，但在住所却一刻也没放松对盘面的观察，此时见随着大盘分时图上出现的急速跳水动作，便打起十二分的精神关注自己操作的品种和牛疯子操作的品种。

虽然大盘出现了短期较深的盘中回挡动作，但云在天见自己操作的这只概念股却未见什么稍具规模的卖单，零零星星一些小买单在强劲买单的支持下，想要打开涨停几乎有些痴人说梦的味道。但牛疯子操作的那只品种，抛盘的量却不小。

云在天冥思苦想了一会儿，觉得这不是牛疯子自己在玩撤掉涨停上的买单，让其他跟涨买盘在涨停位顶到时间优先的位置上，然后有步骤地减持获利筹码。云在天觉得，应该是牛疯子选择做盘操作的那只品种里有"剩庄"，也就是前期没及时逃出来，或者还有部分筹码没有机会兑现，现在正好碰上牛疯子的规模资金进来炒作，看看大盘有调整的风险，就先退出点筹码变现。云在天以前也碰上过类似的问题，好不容易辛辛苦苦将股价拔高，却引来盘中规模筹码的倒货式出局。通常这种情况下，大势是否配合，或者自身实力的大小，成了今后一段时间能否继续推高股价的两个不可或缺的基本因素。

　　云在天在选择这两只品种作为出击标的前，反复对其一段时期的成交量分布变动情况进行了比对，经过反复的研究，才觉得自己现在首选的品种远离筹码堆积带，且很长时间没有资金关注过，一直没出现过短期放量的情况。

　　而牛疯子操作的那只品种，虽然基本面和题材亮点皆稍胜一筹，但在几个月前曾有次短期集中放量的过程。这个过程只有一种情况，那就是有资金曾经进场炒作过该股，但从K线上看，显然炒作是以失败告终。因为这个阶段大盘有了个小小的日线级别上的反抽后，便重归漫漫跌途，暗藏其中的操纵资金显然看错大势，即便里面的执行者止损意识很强，但由于大势实在不配合，未必能全身而退。

　　同时，这么低的点位，暗藏其中的操纵资金也未必肯全线撤离，可能也就是抱着大不了放上一段时间的心态在作祟。

　　现在有牛疯子这样的强人出现，而且股价也接近那个放量位置的下沿。如果前期炒作的资金在低位又补了仓的话，现在的价格是有利可图了，开始不断减持也是很正常的事。而且各种资金的性质完全不同，说不定这个前期的操作者又有了新的建仓标的，那是铁定要退出来调集"子弹"的。

　　云在天暗暗庆幸自己首选了合适的品种，看着大盘快速地下跌，和自己操作品种涨停上稀稀落落的抛盘，他的心情有种说不出的轻松和快慰。

　　他知道，要不是自己动作早了那么半拍，这只品种不被牛疯子选上，也会被其他嗅觉灵敏的资金选上。

　　虽然市场股票品种的数量与日俱增，但一个热点形成后，短期内的品种选择还是很局限的，总逃不出那么几只具有群众基础的品种，新的品种一般市场很难接受，去培养一只名不见经传的概念品种出来，不是云在天的惯有风格。

　　大盘完成三波分时杀跌后，云在天操作的品种仍牢牢钉死在涨停上。牛疯子的品种虽然抛盘汹涌，但仍然被不断增加的买盘顶住了抛压，在涨停几乎被打开的一瞬间，1万手的大单增援，使其在大盘第三波杀跌结束前也顶住了强大的卖压，坚持住了涨停不被打开。

　　随着三波快速而凌厉的杀跌穷尽，云在天前几天在自选菜单上选择的

一批科网概念题材股中，有几只在突如其来的大买盘的强劲推升下，股价出现井喷。

也不知是云在天操作的品种顽强封住涨停的鼓舞，还是前几天就一直有吸纳盘的暗中建仓，大盘在三波杀跌完成后，盘中开始出现科网题材的全面拉升，同时，信息科技类股也开始在 5 分钟涨幅榜里频频露脸冒尖。

第六章

这时，云在天桌上的固定电话响了。

"头儿，不得了，科网题材有全面启动的迹象了。我们这只票以后可能会成绝对涨幅第一的品种啊。"小齐在电话那头，声音明显有些抑制不住的激动。

"全面启动的迹象倒是越看越像了，但绝对涨幅第一却是奢望。这个市场，凶悍的资金太多了，我们不过是博对一次而已，现在很多资金还没苏醒过来，一旦回过神来，'一'字涨停那种情况肯定会卷土重来。事实上，我们只能算第一个尝螃蟹滋味的，后来居上者肯定会层出不穷，这在以往历史上并不鲜见啊。你通知他们一声，今晚仍然是晚饭时间布置下明天的任务。"云在天的心情虽然也起伏不定，但在小齐他们面前，还是要摆出一副淡然处之的态度。

快到 5 点时，云在天正准备去赴约"工作饭局"，门铃响了。云在天一边在镜子前收拾仪表一边问道："哪位?"

"兄弟，想和你打听个事。"门外传来比较苍老的女声。

云在天拿起包，打开房门后向外望去。只见一个穿得很朴素、头发已全白的老妇也正望着他，"您是?"云在天估计她找错了人家。

"大兄弟，向你打听个事，我们家外孙女，你知道不? 我是孩子她姥姥，今天一整天找不到这孩子，不在家。学校也去了，老师帮忙联系了这孩子几个平时很好的同学，都说几天没联系过了。我昨天刚从乡下赶来，

可孩子今天就没碰上过。你知道她上哪去了？家里这个乱啊。"老妇一阵唉声叹气道。

"老人家，我们这里邻居不是很熟悉，这个事，实在不知道了。要不您先进来坐会儿？"云在天回头看了看墙上的电子钟。

"那倒不用了，家里的钥匙我有，我只是想打听打听。城里人是这个样，生分。"老妇说完摇了摇头后就往隔壁走去。

云在天迟疑了下，本想自告奋勇帮老妇一起去找那女孩，可又一想，那女孩叫什么名字，在什么学校读书自己一概不知，实在也没什么线索头绪，还是等会儿回来后看情况再说。

一路心不在焉地赶到饭店后，云在天见小齐几个已经在包厢中等着他。云在天扫视了他们一眼，几个人脸上都洋溢着一股胜利的喜悦。

"怎么？就这点战况就心满意足起来了？我们可是很久没如此大动干戈了。这两年的熊市熬下来，大家的生活水准也在不断下降。行情来了，如果还是个牛市，那也是为下一轮熊市准备过冬的粮，没什么好乐的吧？"云在天面无表情道。

"头儿就是喜怒不形于色，虽然做盘需要对情绪的控制力有很好把握，适当的高兴也是工作的润滑剂和兴奋剂呀！"小唐无所顾忌地盯着云在天。

云在天咳了几下，点了点头后把菜单递给小唐："那你今天只管点好的，我们也就只有自己犒赏自己。不过还是老样子，兼顾大家的口味，人虽只有4个，从小培养出来的口味却天差地别，都快占到整个菜系的主要流派了。"

"你吧，以前吃菜就喜欢甜，我就喜欢辣，小吉吃得特咸。现在慢慢都磨合了，吃得口味逐渐趋同，再过几年，可能我们几个脸都要长得一样了，不是说吃的东西高度一致后，脸就会长得相像吗？"小唐瞄了眼云在天后又看了其他两人一眼。

"你这都什么歪道理？不知从哪听来的。只听过夫妻相是由于长期生活在一起慢慢形成的说法，哪有吃几顿饭就会长一块去的？按你的逻辑，吃一食堂的，几年过后从单位大门出来岂不都是一个模子里刻出来的了？"云在天慢条斯理说道。

"我就是打个比方，你有点幽默感好不?!"小唐摇了摇头。

云在天看了眼小吉，岔开话题道："牛疯子操作的那只品种，我们现在拿着多少筹码？"

"也就几十万股，二百万市值都不到。"小吉说完就等着云在天示意。

云在天喝了口茶后皱了皱眉道："这茶也太蹩脚了点。那这样，小吉你明天就把这几十万股的筹码兑现出来吧。我想你们也看到了，今天老牛操作的这只票，涨停封得很辛苦，虽然顶住了卖压勉强还封在涨停上，但筹码松动的迹象已经很明显了，如果明天再大幅高开，我们不倒掉，前期套在里面的资金，估计也要倒货。"

"他这只票，明天就进入前期的筹码堆积带了，我们先退出来，等回挡消化完这一带的筹码，再拿点资金进去跟跟他坐坐轿也蛮舒服的。"小吉站起身给云在天边倒茶边道。

云在天连忙摆手："这茶喝不了。给我杯最一般的咖啡我喝不出好坏，茶就不同。走掉后就不跟了，咱和他也没锁仓协议，况且拿得筹码也不多，退出来是让他全力操作而已。明天你早晨全部清掉后，腾出来的资金就接小齐的盘。"

"小齐，明天小唐和小吉都会准备好资金接你那边的底仓筹码。你那个主账户，听说他们公司最近有笔上亿的资金准备委托理财，管那事的头头我们都很多年朋友了，我估计咱有机会拿下这次管理任务。明天你那边顺利平仓，短期的收益接近20%了，是张很漂亮的成绩单。这张成绩单就是我们争取那笔资金管理的最好筹码，那头头有了这份交割单也更好说话。"云在天又嘱咐小齐道。

小齐点了点头，还没来得及搭上话，小唐就急冲冲道："就是那个胃口很大的老总？要从我们管理费里提30%好处的贪心鬼？"

"别乱说话。虽然我们只有在赢利的部分里提很小比例的管理费，但现在僧多粥少，他想给谁管理就给谁管理，我们不是稀缺资源，手中有权又有闲钱要投股市的才是稀缺资源。况且去年他们的账户基本没什么利润，他一句不好听的话都没说。任何事，你都不可能全占着的，以后这事不要再提了。"云在天一脸严肃道。

小唐噘了噘嘴把菜单翻得哗啦啦地响。云在天和小齐、小吉眨了眨眼道："明天基本就这样了，不管别人怎么操作，不管大盘走势，强行高开低走后就开始筑几天的平台。然后，再看是不是我自己去那个营业部起第二波更凌厉的升势。"

"要去外地吗？我陪你去吧。"小唐心不在焉地翻着菜单道。

"你研究了半天，菜单都快翻破了，菜点了没？我们这可都是等着你点菜高手哪。肚子真饿咯。"云在天摸了摸肚子道。

饭后，云在天又同往常一样，打包了一袋吃食后返回住处。

当他踱过街心花园，走过楼道前必经的灌木丛时，突然从边上闪出个人来到了他身侧。云在天没准备，吓了一跳，刚想喝问是谁这么恶作剧，马上发现站在身侧看着他的是邻居家那女孩。

云在天下意识地把拎着的袋子递向那女孩道："顺便捎带的，还热着呢。"

那女孩并没伸手接，只是轻声道："我外婆在上面，我不想见她，能先在你家……嗯，待会吗？"

"你外婆一直在找你，她着急着呢，你为什么不想见她？走，快去见她。"云在天有些奇怪，想到老人一脸焦急的样子，就不由自主伸手去拽女孩的胳膊。

"不见就是不见，要么去你家，我和你说原因；要么我去同学家。"女孩挣脱了云在天，声音明显透着倔强。

云在天看了看她，心想这么大年龄的女孩叛逆心理可能是最强烈的时候，还是先上去听听情况，比让她在外面晃荡安全，于是点点头道："那行，先上去吃点东西再说，不急不急。"

进屋前，云在天看了眼隔壁，又看了眼女孩。女孩却低着头，快速走进了云在天还没来得及开灯的客厅。

云在天把一袋子打包的吃食放在桌上道："先随便吃点吧，我去看看有什么饮料。"说完走进厨房打开冰箱，里面只有一点儿放了很久都没动过的碳酸饮料。

"只有这个，你对付着喝吧，我平时难得喝饮料，以喝茶为主，所以家里没什么喝的可选。"云在天笑了笑说道。他把饮料放在桌上后，点了点头往书房走去。

"不想听原因吗？"女孩坐在桌前低声道。"先吃饭，有什么事吃好再说。"云在天道。

打开一排电脑，云在天又开始了每天都必须做的复盘功课。

正进入忘我状态时，身后传来一声轻轻的惊呼："你也炒股票？"云在天回头，见女孩正怔怔望着电脑屏发呆，眼神似乎有种想看透看穿电脑的光芒。

"是啊，社会上把我们这种人归类为职业股民。"云在天笑了笑道。

女孩一动不动望着眼前既有分时成交图，又有密密麻麻财经新闻网页的几台电脑，不知在想什么。

云在天等了半天见她还愣着神，就咳嗽了一下道："别光顾站着，来，坐下来有什么话慢慢讲。你怎么称呼？"说完指了指身边的椅子道。

女孩慢慢坐下来后，眼睛却一刻没离开过电脑屏幕。"同学都叫我桐桐。梧桐的桐。"

"哦。说说，为什么不见你外婆？"云在天一边看着几个聊天群上热烈的行情讨论，一边问道。

"你炒股亏了还是赚了？"女孩突然凝视着云在天道。云在天被她看得有点不自在，又被她简单直接的问题问得一时不知怎么回答是好。

"说啊，赚了还是亏了？"女孩依然刨根究底继续追问。云在天见这个问题不回答，往下的话没法再说下去，只得回答道："小赚一点，混口饭吃吃可以。"

"那我跟你学炒股，你带我这个徒弟吧。"女孩几乎没思考就脱口而出。云在天头有点大，心道：你要么一句话不说，说出来的话倒是句句直接，毫不掩饰直奔目的。

"你不是还在读书？炒股这事累得很，必须有大量时间看盘，即便能做个'中国股神'，不看盘赚大钱什么的，那每天研究的东西，绝对不会比做学问的少。既不经常看盘，也不研究上市公司和行业就能赚钱的，我接触到的人至今没有。什么都不懂也赚到过钱，那是在牛市，熊市一来，那平时的积累就有大用处了。"云在天微笑道。

"你说的我听不懂，我只要你教我炒股赚钱的方法。我今年高中毕业了，不准备上大学，我要赚钱。"女孩一脸认真道。

"分数出来了吧？为什么不读？没考上？"云在天不想被她一个个很直接的问题弄得招架不住，只得反守为攻抛出了几个问题。

女孩一时好像被问住了，愣在那不知脑中想些什么。

第七章

云在天突然发现女孩眼中似有盈盈泪花，马上想到自己的问题可能伤害到了她的自尊心。于是赶紧转换话题道："那，桐桐是吧？时间不早了，快回家去，你外婆都担心一天了。"

桐桐用牙咬着看上去很漂亮很淘气的嘴唇，轻轻摇了摇头道："我不回去。外婆是来带我回老家的，我不跟她回去，我死也要死在这里。"

"怎么？和外婆闹别扭了？什么死啊活的，你才多大，这个年龄应该是最无忧无虑的，说这种狠话可不应该。"云在天摇了摇头道。

"我第一次开口求人，现在老师同学都帮外婆在四处找我，我没地方可去，想……想在你这躲几天，过了这阵子我马上就走，求你别告诉我外婆，行吗？我可以给你洗衣服打扫卫生，我都会的。"桐桐又凝视着云在天道。

"这……怕是不方便吧？你外婆就在隔壁，你在我这，感觉怪怪的，不好吧？"云在天毕竟考虑得多，孤男寡女同处一室，而且还是个"失踪"人口，年龄又相差很多，怎么看怎么感觉有点怪。

"不行我走！"桐桐腾地站起来，往大门走去。

"慢着！那你先在这待几天也行。"云在天不知自己是出于同情怕女孩混迹街头，还是自己隐隐有种希望她留下来的企图。他慢慢站起来，走到卧室门口推开门道："晚上你就睡这里。书房的沙发放下来就能当床使，我凑合着也能睡。"

桐桐慢慢走到卧室门口，探头望了一眼里面后轻声细语道："你个高，沙发我能睡，你还是睡自己房好了。"

"哦，我晚上一般都弄得很晚，睡沙发方便，就这样定了。那我去忙了，卧室里有电视，你随意。"云在天心想还真没和年龄相差这么多的异性说过这么多话。

正当云在天沉浸在 K 线组合里构思自己操作的品种究竟画出怎样的图形更利于日后出货时，身旁传来一股淡淡的沐浴后特有的清香味。

"喝口茶吧。你家里茶叶可真多。开过茶叶店吗？"

云在天侧头看了眼，只见桐桐穿了件眼熟的衬衣。

"我刚洗了个澡，可没衣服换，就在衣橱里找了件衬衣还有睡裤。这衬衣穿着感觉很柔滑啊。"桐桐不好意思红着脸道。

"明天你自己去买些替换的。现在你可以去睡了，不要再打乱我的思路。"云在天从抽屉里拿出一沓现金递给桐桐道。

桐桐吐了下舌头并没接下钱，反而拖了把椅子坐到云在天边上，指着电脑屏幕上的 K 线图道："这曲线代表什么意思？是不是往上就是涨，往下就是跌？"

云在天看看时间还早，只能随口答道："股票运行的 K 线由阳线和阴线组成，红色的是阳线、绿色的就是阴线，阳线代表上升，阴线代表下跌。但也有例外，你看这里，这根看上去是红色的阳线，其实当天股价比前一日收盘价是下跌的，为什么表现为红色的阳线实体？是因为开盘跳空低开很多，收盘股价却拉上去了，当天收盘价比当天开盘价高，K 线实体就是一根假的阳线。

"你再看这里，这根看上去是绿色的大阴线，当天收盘价却比前一交易日的收盘价涨了几个百分点，为什么还是绿色的阴线？就是因为当天开盘几乎是以涨停开盘的，但一天交易却呈高开低走逐级回落的特征，这称之为高开形阴线，不过这根高开形阴线没切入上一交易日 K 线的实体，杀伤力还不算大。"

云在天说完望了眼身旁的女孩，只见她非常专注地倾听着。就接着道："你看这阴线连绵的 K 线组合，就是股价呈下降趋势的基本特征，有时候，刚开始调整下跌的阴线实体很小，越往后阴线实体越大，这就是典型的加速下跌。对于这种杀跌，一般不能轻易去买入接货，否则就应了市

场的老话那就是'空中接刀'，稳妥的做法就是不参与这种左侧的杀跌。

"再看这种阳线连续攻击的 K 线组合，就是股价呈上升趋势的基本特征，你看这种上升一般都是连续的小阳线走出缓慢地上升通道，突破压力区后出现的连续中阳甚至长阳，就是典型的加速上涨特征。进入加速拉升阶段时，一般是短线资金最乐于跟风的阶段，这个阶段钱来得快，但一定需要注意攻击动能衰竭时的及时撤离，否则追涨追成中长线，又自欺欺人似的贴上个长线投资的标签，就是短线操作的大忌。

"做短线的，失败了不肯及时止损认错，那就是市场最差劲的参与资金，真正的长线投资，是不会在这种拉升状态下仓促进场的。真正的长线，是市场 90% 的人都亏损时，别人都想割肉时却敢大胆进场拿资金以'护盘'心态建仓的人中精英干的事。

"今天先说到这里吧。这个东西不是一天两天、一月两月能说清的，你想学，那就得循序渐进慢慢琢磨，急不了。"云在天还有很多按部就班的程序没有做，就掐断了话题。

"那你忙吧。"桐桐说完还有些依依不舍地盯着屏幕上的 K 线图。

云在天想笑又忍住了，从身边的大书架上抽出几本普及类证券知识读本递给她道："睡不着的话就先翻翻这个，不过别拿那种死背书的狠劲出来，没用！要一字字地理解。理解不了的，拿笔勾画出来，过几天再帮你一一解释。"

次日清晨，云在天迷糊中闻到一股粥香。他翻身从沙发上爬起，看了下时间，才七点不到。昨晚又是到凌晨一点多才睡，所以睡眠不足的他感觉突然起身头有些晕乎。他缓了缓神，便寻着粥香往厨房走去。

"你起来啦？你睡得好晚，妈妈跟我说过，熬夜最伤身体了。我刚煮了点粥，可惜你家里什么都没有，不然我可以弄花色一点的粥出来。你家连碗都没有吗？"桐桐边说边在厨房里找起碗筷来。

"碗有，在那上面的柜子里，平时也不用。这米还是我一个同事几个月前乡下亲戚带来后放了一袋在我这，还没发霉吧？"云在天说完打了个哈欠去泡茶。

"闻闻这么香的粥味也知道没有发霉吧？我以前也是什么家务都不会干，就这几个月，我学会了很多事。这碗好多灰尘。"桐桐一边洗碗一边对云在天道。"就算你煮了粥，也没下粥的小菜，我这连一个生鸡蛋都没有。"云在天有点不好意思地说。

"我也想到了，不过这瓶不是糖吗？就放点糖吃糖粥不好吗？"桐桐对着云在天晃了晃手中的一个玻璃瓶道。"也好！糖粥好像也是很久没吃过了。小时候家里条件不好的时候，就在粥里放点糖，那也算是美味了。或许还能勾起点童年的回忆。"云在天接过桐桐手中的糖罐子，舀了一些放在白粥里搅拌起来。

"中饭你自己解决吧，这个你先拿着。"云在天拿了一沓钱放在餐桌上。"昨天说过了，打扫卫生洗衣服之类的事我都会做，晚饭我也能做，你晚上回来吃吧，我会烧很多种菜。"桐桐说。

云在天被一口粥呛到，咳嗽了几下后道："晚饭就不用做了，我都是外面解决，你的我可以捎带回来。"说完，云在天又望了她一眼，顿了顿又道，"我还是那个意思，你外婆年纪大了，你还是该回家去，不要让她着急。"

"家？哪里还有……怎么上了年纪的男人，都这么婆婆妈妈的。"桐桐听云在天又在劝她，板起脸来。

云在天心想，这事，都是自己管闲事惹上身的，处理这方面的问题，自己基本就是一无所知。当下也不再接话茬，去书房整理了一下，就出了门。

一如往常，云在天早早坐镇小齐所在的营业部，打开所有电脑并泡了杯茶，开始把近几天设在自选板块中涉及科网题材的品种，逐一看了遍K线形态及量价关系。以他长期看盘所积累的经验来看，不用什么统计软件就能洞悉哪几只股票是有新资金快速进场的，以及进场资金实力的大小和操盘人的手法心性。

云在天这几天从自己操作的交易中无奈地感到，虽然市场已是人心思涨，但由于长期的低迷市况，即便是还在市场交易的小资金，也大多采取鸵鸟策略，很少有敢于追涨的资金。虽然这几天自己这边操作得很积极，把量也做上去了，K线形态也画出了很经典的向上攻击形态，但接盘资金寥寥，除了自己对倒式的接盘外，能够派发出去的筹码极为有限。

如果市场处于人气旺盛之时，只要有一个阶段性热点出来，那么各路资金都会积极参与到其中，一批活跃的中小资金也会成为很好的抬轿者。甚至在涨幅可观的背景下，还有较大规模的资金来做高位接盘的"傻事"，

当然这种接了盘后能否继续高举高打也取决于市场的人气及运作资金的后续实力。现在，是长期低迷后各类资金都伤痕累累的阶段，此时运作一个热点，不仅需要对后市大趋势的正确判断，还需要所运作题材的公司方面予以配合，才能完成最终的筹码出货过程。

以前云在天做过各种不同题材的标的股，其中有好几起都是最终目标公司对于题材方面的配合，才得以全身而退，没有成为长庄死抗到底，这与他对大趋势研判准确加上良好的人脉关系密不可分。

云在天深知，有好的题材，手中运作的资金也充足，但如果始终无法得到市场认同的话，做盘的主力就会陷入自弹自唱的泥潭无法自拔。碰上市场环境处于转好期或者多头市场中时，顺利退出的概率较大；要是碰上连续低迷不断创新低的趋势，那基本会以失败告终。

此次操作的这只标的品种，云在天早已提前获知有再融资的需求，公司股价活跃后，才有配股或增发的可能。但这家公司的融资饥渴，只处于少数高层的意向，还处于没有摆到台面上的阶段。云在天此次操作，一是对整个市场有可能转热的预判，一是考虑到该公司融资需求下对股价活跃的期待。云在天目前收集筹码的过程，就是为了以后能有和该公司叫价的实力，让公司配合出一些振奋股价的信息，才能完成利好兑现筹码的可能。当然，这种赌博式的博弈布局，即便是小齐几个和那个透露信息给他的公司高管都蒙在鼓里。

第八章

等云在天看完早报后，小齐才匆匆而至，云在天对于手下几个年轻人缺乏勤勉热情的工作状态早已习以为常。他觉得这样也不错，一个团队中不能有太强太有能力的办事人员，否则执行力就会大打折扣，而这种操作，就需要完全的执行力，来不得半点顶牛。

"头儿，这么早？我又晚了。"小齐又一脸惭愧状道。

"只要不耽误正事就好！这不还有半小时不到才开盘吗？我是在家待不住，提前来培养下感觉而已。"云在天故作随和道。接着云在天又和小齐随便聊了聊同板块其他品种的走势，以便保持一种宽松的工作氛围。

"今天要把我这主账户的筹码出给他们的分散账户是不？"小齐在开盘前问道。

"对！昨晚我通知他们了，竞价阶段就微幅高开些，不用申报太多的资金进去。掐准到正式开盘前一分钟，再直接把股价打上涨停便行。你这里早点把所有筹码挂到涨停价下几个价位就行。"云在天轻声道。

集合竞价阶段，这只股票以微幅跳高的价格出现几百手的买盘。云在天马上用电话通知小唐和小吉，吩咐他们不要加买盘进去，如果过早股价直线跳升，可能没引来追涨盘反而招致这几天短线获利盘的止赢离场，那么接主账号的筹码就需要更多的资金消耗，得不偿失。

正式开盘后，这只股票以小齐挂出的卖出价成交。"不出所料，没能全部成交。挂在我们卖出价前面的也有几笔不小的卖单。"云在天看了下

成交回报后道。

"还剩几千手没有成交，你现在就把这几千手剩余筹码一笔扫掉。之后你们就不用再操作了。"云在天连忙打电话吩咐身在其他营业部的小吉道。

9点30分，离涨停价还有几个价位的大卖单被一笔扫掉。股价瞬间被些许买单追买至涨停价后回软，股价在开盘价附近相持不到一分钟，即被零星卖盘逐步推低。由于云在天这边已停止买入操作，下挡买盘竟然出现了"真空"，一笔200多手的卖盘，迅速把股价砸至只上涨3%的价位上。但由于大单高开9%以上的作用，很多没能及时在开盘时就卖出的短线浮盈盘放弃了沽售，股价开始在涨幅3%上下缩量震荡。

"今天任务基本完成。主账户有了张漂亮的成绩单。你这边还有几个零散账户没使用，加起来还有几百万吧？"云在天一边看着其他科网股的走势一边问身边的小齐。

"是的，除了这个账户外，其他账户还有些资金。"小齐答道。

"那你今天就盯着盘吧，如果没有看错的话，今天其他科网股也都会有洗盘动作。老牛这只股够沉的，今天我们这么大幅的高开，都没能带起他这只股。现在基本在昨天的收盘价附近挣扎，量放得这么大，只能在收盘价附近勉力翻红，也有不小规模的筹码在减持啊。我估计老牛这只股下午会有波跳水动作，其他最好的同板块科网题材，现在涨幅最大的是这只有5%升幅的品种，不过它昨天才发动，涨幅本来就小，盘子也不大，我估摸着它里面的资金实力也不大，今天也不可能高举高打封上涨停。你就盯着这两只股看，他们等会儿有下杀动作的话，我们的也会跟跌。到接近昨天收盘价附近时，你可以用那几个账户的资金陆续买入，记得在昨天收盘价上几个价位先挂几笔大买单进去，能不翻绿最好，守不住昨天收盘价也没问题，高开低走收大黑棒的K线实体能把一些追涨盘吓出来，清洗下浮动筹码也不错。我下午去小唐那坐会。"云在天一边注视着牛疯子操作的品种一边道。小齐答应了一声后就低着头用计算器不停地计算着什么。

上午的交易眨眼即过，两市股指波澜不惊，绝大多数股票成交稀少，也就少数科网品种的量"鹤立鸡群"些，成为低迷市况下唯一的亮点。

"还是没多少人关注这个市场，低迷太久都麻木了。我们这只股票虽然形态是做得向上突破了，也找了些人通过各种渠道在推荐，但还是没能吸引足够的跟风盘进来。虽然没资金和我们哄抢筹码是好事，但这么低迷的人气是无法全身而退的。"云在天皱了下眉。小齐"嗯"了一声，没接话茬，云在天知道他不敢轻易表达自己的看法，便笑了笑道："走，先把肚子填饱再说。"

吃完中饭后，云在天并没像往常那样带吃的东西回自己的住处，他实在有些怕那女孩又问到股票的问题。股票这东西需要不断实践，实践才能摸索出一套实用的生存之道出来，纸上谈兵式的"传道"对于云在天而言，不但索然无味还甚至有点词不达意的窘迫。

和小齐分手后，云在天便悠闲地在附近的街心花园散了会儿步，候着下午开市时间的到来才赶往小唐所在的另一家营业部。

"哟，头儿你来啦?"穿着性感的小唐见云在天到来，边起身让座边一脸微笑道。"上次不是和你打过招呼，操作的时候别这副穿着，再说冷气开这么足，小心以后得关节炎。再说了，这房里就我们俩，面对一个半老头子有啥可炫耀身材的?"云在天瞥了眼面前晃着的两条白生生的大腿摇了摇头道。

"我们又不是正规公司要穿制服，你也没规定具体该穿什么呀? 我知道了，下次穿得像只粽子可以了吧?"小唐仍旧一脸笑容慢吞吞道。

云在天查阅了一下这个营业部所开设的账户明细，然后道："你这剩余的资金也不多了。接盘还是少，看来得另想办法，简单地对倒方式也寻不到对手盘来承接。"

"人气真是差得不行，今天一高开，就有不少筹码不断抛售，要不是你吩咐小齐那边在昨天收盘价上用剩余资金接货，现在可能已经被打到翻绿了。"小唐坐到云在天身边道。

"小齐那几个零星账户上的资金，要想维持到下午收盘保住红盘恐怕不现实。他那边子弹打光后会立刻通知我们，主账户是不再接货了，要保住这个成绩来争取那上亿元的资金管理，等这笔巨资打到账户上后，怎么操作就是我们决定了。你这还有点资金，等小齐那资金用完后，如有不计成本抛售的，我们再接点，反正现有的筹码不用做打压了，让这只票随板块震荡几天也好。"云在天道。

"这么多账户的资金都集中在这一只股上，风险太大了。我们这次可能太急于发动科网概念了。"小唐不像小齐小吉那样，在云在天跟前说话并没什么顾忌。云在天摸了摸眉毛没言语。这个阶段找人手非常困难，像小唐这样外形出众且高学历的对口专业，到哪都能找到稳定的位子。连续的低迷市

况，云在天甚至觉得小唐没甩下团队还是自己个人魅力在发挥作用。

"可能吧。不过股市特别是 A 股和其他市场不一样之处就在于，峰回路转之际只在转瞬之间，历史上的井喷例子并不少见。成功往往除了积累以外，运气的成分更大些，好久没有押重注了，是该出手了。"云在天又使出招牌笑看着小唐。

"就是喜欢你的魄力，我相信我们这次一定成功的。"小唐道。

"还是你来看盘吧，我看会儿新闻。"云在天为了转移话题，马上坐到可以上网的机子前。

"你快看，那个牛什么的票跳水了，把我们的票也带下来了。"小唐突然轻呼道。云在天看了看时间，已是下午 2 点 30 分左右。"看新闻时间过得真快，又是一天交易快结束了。你在这价位开始接吧。"云在天走到小唐身边，看了眼牛疯子操作的品种，又看了眼不涨不跌的大盘指数后气定神闲地道。

"嗯。把账户剩余资金都用完吗?"小唐一边报单一边问。

"有大点的卖单就接住，也不用往上打。"云在天在另一台电脑前紧盯着牛疯子那只品种道。

"咦，有一笔 500 手的买单把股价打到平盘了。不会是小吉干的吧?"小唐看着分时走势道。

"不会，虽然小吉现在可用的资金最多，但他没接到我买入指令是绝不会自作主张的，小齐那零星账户的资金下午开市后就用完了，这不是我们的，现在从软件上也看不出机构类型。你看，老牛那只票分时上的买单更大，可能是带出来的跟风盘吧。"云在天指了下牛疯子操作的品种道。

果然，2 点 45 分，牛疯子操作的品种突然出现巨量对倒，股价从下跌 3% 左右开始直线拉升并迅速翻红。同时，其他品种的科网股也纷纷被带起，5 分钟涨幅榜上一时全部被科网题材股占据。

云在天操作的品种，在他没有使用一笔大笔对敲盘的背景下，仍然被短线跟风资金打到了翻红并上涨 2% 左右。

"小唐你在这价位挂 1000 手卖单出去，看看到收盘时有没有资金扫货。我看看有没有其他资金想做这只股。"云在天指了下最新成交价。

但这笔 1000 手的卖单挂出去后，立即有其他卖单挂在这笔大卖单下排队等价格优先成交，直至收盘，这笔 1000 手的卖单一手也没成交。

第九章

一天交易结束后，云在天按惯例复了下盘。其间，营业部的负责人亲自来请云在天吃晚饭，云在天因为晚上和小唐几个有事要商量，就把时间推后了几天，并开玩笑似的说："我说老板，吃饭什么的其实也没必要，你把这里的硬件提高下才是关键。"

"硬件？"戴着宽边眼镜的中年营业部经理扫视了一下装潢考究及堪称一流的最新款操作 PC 等疑惑道。

云在天指了指房间的门道："这个门，不够隔音。我们现在交流都是手谈，我们还特意去学了手语。"说完看了小唐一眼。

"哦，我明白了，这星期休息时间就能办妥，您还有什么其他要求？"中年经理一脸茅塞顿开的样子并偷偷瞄了眼小唐。

"暂时还没想到，那就这样吧，你们这还是挺不错的。大家都老朋友了，你放心，我可不会不念旧情随便转移阵地的。"云在天说完起身道。

"那您先忙着。"中年经理满脸堆笑，走出房间时还不忘把门牢牢带上。

"看他那样，准保把你的意思想歪了。"小唐故意板起脸。

云在天突然有所顿悟，见小唐的脸有些发烧，忙打哈哈道："你联系下小齐小吉他们，我们晚上老地方开会。"

傍晚时分，云在天几人在常去的饭店老时间碰头。"我说头儿，这里的菜都吃腻了，吃来吃去老三样，我们就不能换几个饭店尝尝不同的风味

吗?"小唐边用筷子拨拉着面前的冷盆边说。

"这里价格公道,只要我们来,老板就把这间最好的包间给我们用。况且我比较习惯这里的菜系,要是换种风味肯定吃不惯。你就对付着用吧,我们来谈正事。"云在天表情严肃道。

"还不是这里的老板娘那股风骚味儿你惯了。"小唐噘起嘴用轻得在座几人都听不清的声音嘀咕道。

"今天我们一个大客户账户完成了顺利平仓。这位客户虽然目前还不是我们最大的委托客户,但以后有希望成为我们的最大客户。明天小唐请他们的老总出来吃顿饭,把拉出来的成交回报单也带上,这部分的盈利请他把我们应得的管理提成打到我们的账户上,他所提的回扣方面的要求我们一概同意,争取把这笔资金拉过来,那么我们未来的操作就'弹药'充沛了。哦,对了,小唐你顺便也和他说下,今天这盈利的20%部分,我们所提取的管理费中,钱一打到我们账户上,立即返他30%的'辛苦费',虽然是小数目,但也能显示我们的诚意。剩余的管理费部分虽然不多,先大家分了吧。"云在天看着小唐道。

小唐眼珠转了又转,云在天知道她在计算该拿出多少钱给那头头,便笑着道:"没有出哪有进? 这种小钱就别算计了。这事你去办比我出面好。小齐,你负责运作的资金也都变成筹码了,明天你陪小唐去,但你只是她的'保镖',资金方面的事都由小唐来谈吧。"云在天说完意味深长地看了眼小齐,小齐连忙点了点头。

云在天说完,又以征询的眼光看着小吉道:"我明天要外出一趟,也无法确定天数,现在就你那里还有些资金,维持这只股票的平台走势应该不成问题吧? 具体的我们随时联络就行。"

"我们现在控制的流通筹码,要维持小箱形震荡是没问题的。要有大动作的话,还是要有更多的资金。我知道了,我这边的资金就维持震荡,头儿你放心好了。"小吉信心满满地道。

"你要去哪?"小唐刚等小吉说完,就急忙问云在天。"办该办的事,但目前还没头绪,回来再说吧。能否拉到那笔资金就拜托你了,我觉着这事成功的概率很大。来,我们都敬小唐一杯。"云在天没透露自己的去向,主要还是因为对自己的计划也没多少把握。

接着几个人又随意天南地北聊了些股市以外的题外话,云在天说自己明天要去外地，以早点回去休息为由，推掉了小唐想去唱歌的提议。

云在天回自己住处时，因为酒喝了不少，觉得头有些晕。一时找不到大门钥匙，就下意识按起了门铃。刚按了一下，门就开了，漆黑的门内一条娇小的身影闪了闪，还没等云在天发话，就被一只绵绵的手拉进了房。门被轻轻关上后，耳边就有细细的声音道："别在门口大声说话，我外婆现在还没睡，她耳朵可灵了。"

云在天在漆黑的客厅头更晕了，脚下一晃险些摔倒。桐桐这时刚好拉着他还没放手，被云在天一带，一慌连忙抱住了他。云在天糊里糊涂中急忙用另一只手撑住放在客厅中间的餐桌上。两个人的分量虽重却靠更沉重的餐桌挡住了摔倒的惯性。

桐桐在惊吓中未呼出一声，倒是云在天不由自主"啊"地叫了声，酒也醒了大半。"喝了点酒，你没事吧，真是出丑了。"云在天轻轻推开桐桐。

"没事，刚一开门就有股浓烈的酒味扑鼻而来，我有准备呢。你没事吧？我给你泡杯红茶去。"桐桐说完蹑手蹑脚进了厨房开灯泡茶。房间里总算有了光亮，云在天跟着进了厨房，用冷水抹了抹脸后问道："你在家灯都不开吗？"

"是啊，刚才外婆又来敲门了，把我吓得半死，可能是来找你问什么事的。你不在，灯亮的话，怕她又来敲门找你。这是红茶吧？"桐桐拿着个茶叶罐对着云在天晃了晃问道。

"那个更好些，用那个。吃的我带回来了，你对付着吃点。"云在天指了指另外一个更精致的罐子，又指了指放在餐桌上的一大包食物。

"今天给我带什么好吃的了？我刚吃了点粥还不饿。呀，真香！"桐桐泡好茶递给云在天后，就解开了放食物的塑料袋。

"我先去沙发上坐会儿。"云在天拿着红茶走进书房，打开一台电脑后坐到沙发上想明天要办的事。

"可以开始讲课了吧？"桐桐一手拿着塑料袋子，一手拿着根鸭腿边啃边走进书房问云在天。云在天一听，头就有些晕了。"明天我要去外地办点事，今天就停课一天吧。"云在天望着窗外夜景道。

"现在还早呢！就讲半小时吧？好吗？"桐桐走到窗前挡住云在天远眺的视线央求道。

云在天把思绪打住，忘了眼桐桐道："头晕乎乎的，那就随便和你讲讲，至于思路是不是清楚就看你自己的理解了。"说完坐回电脑旁，打开交易软件后寻思着今天给她讲些什么。

等桐桐像模像样拿了练习簿和笔坐到电脑边后，云在天便皱着眉道："处于信息弱势地位、市场历练不够、缺乏自我保护意识、缺乏风险控制能力、无法洞悉主力持仓成本的新入市资金，进入市场后就如同一只小羊羔进入了狼群一般，而非一只头狼进入羊群一般，这个必须得清楚意识到。有时候狼要吃羊，就先会让羊啃到一些丰美的草皮，所以，一次的交易胜利，不是永远的战绩，投资之路接下去还很长。

"股市并不是致富的天堂，相反绝大多数人都很难从股市中获利。所以，制定较低的年收益率，并能不断保持，就是最高的自我挑战。

"准备操作股票后，提高眼力和练习盘面感觉是首要任务。我们现在先进行的是一些基础的填鸭式常识的学习，之后你可以进行一些模拟的操作，先不用真枪实弹地去二级市场交易，模拟操作，可以适当提高看盘及操作技巧，达到对各类技术指标及图形的了解和初步熟识的目的。"

"不用真枪实弹？就是虚拟操作是吗？"桐桐一边在本子上用笔画来画去一边问。

"嗯，你还懂点股市术语？"云在天有些奇怪地问。"不懂，我白天没事翻了你给我的那几本书。"桐桐低着头道。

第十章

　　"那我们接着说，这模拟操作，主要就是对指数涨跌的判断和个股价格高低点的预判两类。先从指数涨跌预测来说，指数的涨或跌，都是由每天市场成交额中的资金净流入和资金净流出的买卖力量决定的，而导致多空双方买卖力量的绞杀下形成的资金净流入或净流出，由多种因素形成。一是延续上一交易日的市场惯性运行趋势，二是当日受各种信息层面的影响，也就是所谓的利好或利空对市场交易者作出做多或做空的交易抉择影响。模拟测算隔天指数的运行趋势及当日高低点的区间，是市场短期交易者、趋势交易者及波段交易者最重要的功课。准备入市前，对于市场各种信息导致股指波动趋向的实例进行研究，有助于提高综合研判技巧。

　　"大多数新入市的资金喜欢看各种指数预测观点，长期形成依赖感后，将会在市场中迷失自我。而如果自己勤于锻炼对指数波动趋向的测算，则能培养逆向思维的操作方式，在较大的趋势性转向前，及时把握买卖点。

　　"对个股价格高低点的预判，则是进入实际操作必须面对的问题。个股的高低点预判，与指数的预判既有相同点，又有不同点。相同之处在于个股有和指数出现趋向共振的一面；不同之处在于很多时候个股与指数并不出现趋向性共振的情况，也就是通常所说的逆势。新入市资金在未实战前，先进行一段时期的模拟操作，不投入资金，对目标品种进行买进卖出

的虚拟操作，一是能提高对目标品种股性的熟悉，二是能发现自己在虚拟操作中存在的优势和劣势，然后记录下来，在实战操作中对优势加以强化，对劣势加以修正。但虚拟操作和实战最大区别，不在于对股价波动趋势和每日高低点的判断上，更多在于投入真金白银后所带来的恐惧和贪婪这两大人性弱点上的影响。

"虚拟操作的优点在于，能降低真金白银'买教训'的损失，初步掌握一些基本的看盘技巧，摸索出一些适合自身的投资模式。

"有些小额资金，碰上大牛市后，被市场赚钱效应吸引进来，完全没有进行过模拟操作，对股市也基本上连一知半解都称不上，就敢于拿出真金白银投入到这个融资功能远大于投资功能的市场中来，那么一旦碰上熊市，又不懂止损，亏损严重是必然的。

"股票本身就是个工具，它存在的优点就在于能够给有准备的人带来收益，而怨天尤人的性格，是永远不可能在这个市场中获利的。"

"我都记下了，等会儿你讲完了，我再多思考下，不懂的以后再随时问你。"桐桐一副深思状道。

云在天看了看时间后又道："还有些时间，再给你讲讲短线操作中比较重要的寻找强势股启动征兆的案例。通常在牛市中，你要找强势股比较难，因为此时大多数股都算强势股，都处在一个大的上升通道，这种阶段只要持股就有收益保障。我现在和你说的，是在一个比较平淡的行情下，譬如箱体震荡区间时，强势股启动前的一些主要征兆，譬如说逆市。"

"逆市？"桐桐停下笔用一双清澈的眼睛望向云在天道。云在天看着她黑白分明的眼珠，心中不免涌起一丝怜爱的感觉，他定了定神后接着道："对，逆市，一是指逆绝大多数股票下跌，一是指逆绝大多数股票上涨。逆市走势，通常是短期趋势发生扭转前比较常见的一种股价表现方式。今天我们先谈的，是逆市上升或逆市微幅上升品种的短线机会。

"在一个下跌势中，逆绝大多数股票而出现独自上升的走势，既有当天公司消息面正面因素的影响，也有主力资金开始发动前的征兆。

"由于市场内各个品种、不同资金建仓的成本不同，只要稍有实力的资金，碰上大势不好，也会在其介入的成本区进行逆市护盘。盘面表现就是，绝大多数品种翻绿后，其却逆市微幅翻红；在市场短期出现不小跌幅时，其被零星恐慌抛盘不断打绿后，又能不断迅速翻红。盘内资金不遗余力地护盘和扯动股价，但也不急于快速拉升，一旦市场在短期下跌趋缓后，此类逆市品种必'先发制人'展开大幅反弹。有些牛股品种，在上升势中不易寻觅，但在下跌势中，其逆市护盘的动作，就会给出一些提示信号。

"从逆市品种中选择短线出击机会，首先要注意的就是品种的绝对涨幅，前提是，不能是妖股或者说早已天马行空地涨幅巨大的品种。涨幅巨大的品种，出现逆市走向，但等其他股票全部开始反弹后，常常又会逆市杀跌。

"另外，还要从量价关系和潜伏在其中的规模资金的建仓成本来研判。有些资金进场收集筹码的时间晚，别人早发动了，而其则还在建仓区波动。这样的品种，在市场处于下跌期时能出现逆市表现，就是对主力资金无法出逃的一种最好证明。你散户急，里面的规模资金比你更急。对这样的品种，要保持信心，持有的，要能守得住。短线寻找套利机会的，善于寻找这类品种比关注弱势品种的机会要大。

"这种在大盘处于下跌期时选择逆市品种的机会不少，有些时候，在自选股和股票池中的小范围内也会经常碰到这种情况。对于比较熟悉的品种，做逆市出击的胜率更大。碰上熟悉品种出现这种逆市翻红的状况，可以说机会不容错过。逆市翻红，全力承接当日所有的抛压，又不快速拔高股价，很稳定地在上一交易日收盘价上放手接盘，盘内的做盘主力会在未来一段时间内让轻易抛出筹码的资金后悔不已。"

云在天顿了顿，喝了几口红茶后又道："我刚一边说的时候，一边翻了些股票的历史 K 线给你看。譬如这只股票就是比较典型的逆市吸货手法。你看，这一段时间内，大盘指数是连续缩量下跌的，而这只股票却是连续温和放量每天拉出小阳线的。这一天，大盘经过连续的阴跌后开始放量收出中阴线，而这只股票成交量却比前几日的温和放量明显放大，并且一举收出涨停大阳线。这意味着什么？前几日的逆市温和放量是个收集筹码的过程，而当大盘出现放量大跌时，它却放量涨停，很多浮筹见大盘大跌而这只股票大涨，都忍不住抛售，去换暴跌的股票。这是股市中贪婪本性造成的，岂不知既然这只股票的主力敢于逆市让短线筹码全部获利，自己全部接住抛盘，那么这种主力就肯定有实力在未来的一段交易日继续做

高股价。没有一个主力资金会笨到让短线获利盘全部轻松离场，而再把股价马上打下来套住自己的。"

"真的啊，这只股票下面几个交易日都是连续的大涨呢。"桐桐站起身，站在两台电脑前，左看看同时段的大盘 K 线图，右看看这只股票的 K 线图后道。

"我再和你说说选股的题外功夫，操作这只股票的主力，对这只股票所涉及的题材概念是经过潜心研究的，肯定做了很多功课。此股虽然业绩在所涉及的概念中不是最好的，但受益却是最明显的，这就是'龙头相'最不可或缺的基础之一。

"大凡概念炒作的所谓'领头羊'，A 股市场炒一个题材的水平，恐怕是无一市场能及的。

"大凡炒作一个题材，在熊市中维持的时间较短，在牛市中则是反复地进行炒作，但是无论时间的长短，各类题材依据炒作主线总有一家是该题材的所谓'领军人物'，也就是市场通俗地称之为'领头羊'的品种。有时一个大的板块炒作，会有几家公司同时被作为领涨品种，轮番进行拉抬来'激励'人气，带动数家甚至数十家同类板块集体走强。

"如果你作为一个小散进场想参与主题投资概念的'坐船'，那就得买'领头羊'。因为一个板块的炒作基本上是唯领涨品种而马首是瞻的，领涨的涨幅大，其他跟涨的品种会被后知后觉踏空的资金追捧。一旦领涨品种大幅回落了，跟涨的品种跌得更快，都是投机性质，参与领涨品种，涨时能分享到更大的涨幅，下跌初期却比跟涨品种有更多兑现机会，其他跟涨股都得看领涨股的颜色，持有跟涨股相对比较被动。

"题材跟风，现在也有很含蓄的称呼叫'主题投资'，不但要买第一受益股，还要在市场不疯狂时就提前进行布局，两者可以说是缺一不可的。这就需要平时多看，培养足够的盘面感觉和领悟力。不能做到先知先觉，也起码要'中知中觉'，争取赚到中间一段'坐轿'的利润，而不是后知后觉地去充当'抬轿'买单的'冤大头'。

"需要提醒的是，有时概念炒作的'领头羊'，即涨幅最大、率先启动的领涨品种，未必是行业或板块内最具竞争力的公司，通常情况下还是筹码较分散、基本面没什么亮点的公司。为什么会出现这样扭曲的事？因为很多实力凶悍的短炒资金不愿去为一些早已被机构重仓持有的品种'抬轿'，所以选择较冷门或筹码较为分散的品种进行攻击。概念炒作和行业龙头配置没有可比性，这也是需要更多从市场中历练观察的。"

"那就是不看基本面炒作，不按套路出牌。对吧？"桐桐问道。

这就是投机的最好注脚吧。不过，任何股市都是从不成熟走向成熟，当市场还没有完全成熟起来时，那就得顺应市场。如果有一天，市场真靠长期投资能获得很丰厚的分红回报，以股息利得替代炒作题材而谋求差价利得，那么现在这种找黑马的模式也就失去了市场基础。靠投机博取利润的温床失去了，投资模式当然自发会改变。但是这种改变，恐怕也是一个漫长的转变过程。

你可以把同时段的大盘指数K线和这只股票的K线截图下来，储存在电脑里，没事的时候自己琢磨琢磨，这是比较经典的逆市操作手法加概念领头品种的实例。今天就先到这吧，我还要看会新闻，明天要早起。云在天道。

"好吧。你刚说明天要去外地啊？要去几天？"桐桐收起练习簿后转身问云在天。"不会太长吧，最多三天。这抽屉里有些钱你可以随意使用。"云在天说完指了指书桌。

等桐桐离开书房后，云在天起身把门关实，然后调出自己操作的这只股票的K线图，凝望着电脑屏幕出起神来。他的思绪快速飞转着，脑中不断勾勒着未来如何轻松撤离这只股票的计划。

他像座泥塑的雕像一样，殚精竭虑一动不动坐了差不多有一小时后，缓缓拿起桌上的座机，拨通了小吉的电话。

"还没睡吧？刚才吃饭的时候，我们讨论的维持这只票箱形震荡的计划不变，但是，我刚考虑了一下，如果像夹板一样的维持小幅震荡，就吸引不了市场短线客的眼球。得把这个箱形波动空间放大到5%左右，一天能有数次波动则更佳。这样，短线资金有了盘中T＋0的套利空间，就会积极参与进来。

"虽然我们把波动空间放大及盘中波动频率提高了，会不断抬高持股成本，但让市场形成一种跟庄好赚钱的'善庄'错觉，对吸引更多资金参与是有好处的，这对未来的再次拉升是种循序渐进式的铺垫。

"喂一些肉给贪嘴的投机资金吃，是目前这种死沉沉的行情下值得尝试的一种办法。小唐小齐那边我就不再逐一通知了，等他们见了那位老总

后，回来就和你这边配合下，完成这几天的震荡交易。K线上画图的事我就不再啰唆了，只要把K线做成每天差价很大、股性很活跃的形态组合就行。"云在天吩咐完小吉后，一阵睡意袭来，喝了几口红茶提神后，又整理了一下简单的外出行囊。

　　第二天天还没亮，云在天就起身赶往邻近的城市。

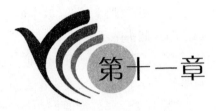

第十一章

　　"头儿，唐璟已经争取到那笔上亿元的资金管理委托项目了，资金这几天就会划入账户，这下我们手中的资金就很充足了。"小齐隔天晚上在饭局后迫不及待地打电话告知云在天。

　　"好！不错。你们辛苦了。本来我也有事要和你说，你现在说话方便吧？"云在天道。

　　"嗯，现在边上没人，您说吧。"小齐道。

　　"这样，你明天让小吉在上午 11 点 15 分左右，用 1000 手的卖单将股价砸到跌停，砸的时候，我们自己在下面的托盘就先全撤了，如果在跌停价上面还有一些零星的小买盘在那挂单潜伏着，在跌停价附近成交不了1000 手的话，就继续增加卖单补足这笔成交，速度要快。等在跌停附近成交了这笔卖单后，再马上把股价拉起来。跌停附近有买盘在等着接盘的，具体的我回来再和你们说，这事明天一定得办好。"云在天在电话那头以很压抑的声调吩咐道。

　　"好的，我等会儿就和小吉说。"小齐迟疑了一下，想问个清楚，但最终还是忍住了。

　　次日上午，云在天操作的这只股票，在 11 点过后，突然被一笔 1000手的卖单砸至跌停价上。由于从收盘价到跌停价这个 10% 的区间内还有一些零星的买盘，所以总共在一分钟内出现了 1 500 手左右的大单连续卖出，在跌停价上事先挂着的 1000 手买单全部成交后，股价又迅速被推高。

"不知头儿在搞什么，打下影线洗盘做图形？有这个必要吗？"晚上，小齐几个聚餐时，小唐最先发问道。

"我也不清楚，头儿神神秘秘的，去哪也没告诉我们，这事也不好直接问。"小齐看了眼小吉道。

小吉望了他们一眼，故作神秘地笑了笑没说话，在眼前的煲鸭汤里捞出个鸭腿低头啃了起来。

"你比我们跟着头儿的时间要长很多，别卖关子了，我就知道你清楚这是怎么回事！"小唐看着小吉道。

"没什么关子好卖的。真金白银的会去做什么洗盘的下影线图形？不过我记忆中这也就第二次，很早的时候也有过一次。那时流行做长庄，不像现在这么较短的时间进行运作。如果没猜错的话，头儿这是孝敬谁的红包呢！你看就今天这么往下一砸，这笔买入的资金一天就有10%的账面浮盈了。头儿不会干亏本买卖，他是不见兔子不撒鹰的，你们就耐心瞧好吧，今天喂出去的肉，会收回来的。"小吉啃着鸭腿，眉毛一挑道。

小唐刚想继续追问，小齐的手机响了。

"哦，是头儿啊，我们正在聚餐呢。昨天你布置给我们的任务完成了，有什么新的指示吗？"小齐边说边看了小吉他们一眼。

"你们今天顺利完成任务。我这边的事也有谱了，明天就可以回去，接下来的事就是继续做高股价了。你们继续，具体的明天回去再说吧。"云在天道。

"听头儿的口气好像很高兴的样子。明天他就回来，要大干一场了。"小齐挂了电话后对他们两个道。

云在天风尘仆仆从邻市回来后，没有回住处，就直接赶往小唐所在的营业部。

"这几天你们把这只票的箱形震荡做得很经典，这根长长的下影线就像坚固的支点一样，今天就推高股价的话，形态就是攻击型的了。李总那边的资金到账了没？"云在天放下旅行包问道。

"今天刚到账了2000万左右，已经通知我是分笔到账，剩下的会陆续划进账户的。"小唐看了眼一贯注重仪表的云在天有些零乱的头发。

云在天马上会意，点了点头道："我去盥洗室整理下，连胡子都没来得及刮，时间太匆忙了。你现在和小吉通下气，集合竞价就高开5个点以上，你这边有了'后备军'，今天可以用'推土机'方式推高股价了，买盘5挡全部用大单层层往上挂出去，改变以前盘中对倒的模式。"

小唐点了点头，拿起了桌上的电话。

集合竞价开盘后，云在天操作的股票在层层大买盘往上每一分价位的持续推动下，直接上冲涨停。

"到现在为止，还没有一个大点的卖单出来，看来这只票中只有我们在了。"小唐看了眼正紧盯盘面的云在天道。

云在天点了下头道："这几天你们做箱形的时候，我也看了下盘面，确实没什么规模资金在里面，我们压出来的大卖单没人扫掉，托在下面的大买单没人砸掉，这是最好的情况。市场低迷太久了，都还没彻底苏醒过来，就算里面以前有规模资金被套着，现在的价格也不会出来，说不定就等我们来解救。你现在把涨停上我们的买盘撤掉，看看会不会打开涨停。"

小唐依言把涨停上的买单撤掉后，还剩下1000多手其他零星买单。这些零星买单见涨停上的大单突然撤掉了，也陆续开始撤买，而短线获利盘看到涨停上的买盘突然快速消失了，卖盘开始涌出。

不到一分钟，涨停就被打开，在涨停价上马上堆积了一些没有来得及成交的卖单。

"涨停价上继续申报买单。"云在天吩咐道。

一个上午，云在天操作的这只股票出现了三次涨停板上的撤买动作，随后又被买单迅速封住涨停。

"可以了，涨停上的买单今天不用再撤了，意志不坚定的已经走了不少，封到收市吧。明天开盘就直接封涨停，不再打开，连续3个涨停板后再说。"临近上午收市时，云在天决定不再玩涨停上的撤单游戏。

"你已经胜券在握了？"小唐有些没把握。

云在天点了点头后轻轻一笑："这次应该可以全身而退。今天收市后，论坛里，股评中，就会有这只票的信息传闻铺天盖地而来，我已经做了安排，你可别小瞧了这些'水军'！"

"这么蔫的市况已经太久了，还留恋在市场里的资金都精得很，光靠传闻可能吸引不了多少跟风盘进来吧？"小唐摇了摇头道。

"传闻只是铺垫和造势，实质的概念才能完成顺利撤退，得一步步来。"云在天胸有成竹。

"你这次外出，就是为了这事吧？"小唐猜测道。

云在天没有直接回答这个问题，避重就轻道："有付出才有回报，天下没有免费的午餐。下午我先回去休息，你们看住盘面，涨停不被打开就好。接下来的两天也很简单，全天都不用波动只是'一条线'而已。这次我们一定要争取到领涨地位，整个板块唯我们马首是瞻对于日后的派发有很大帮助，我刚看了看老牛那只票，他手中掌控的资金看情况有些力不从心了。现在这种市况，拼的不仅是胆魄，资金才是首要的。"

"今天晚上有活动不？你也该放松放松了。"小唐瞟了一眼云在天道。

"这几天酒喝太多了，肝受不了，就不聚餐了。晚上在家喝点粥，清清肠胃。"云在天说完提起旅行包离开了营业部。

他回到住处后，没敢叫门，怕隔壁桐桐外婆听见，轻手轻脚地自己开了门进去。他扔下旅行包，直奔书房去电脑上核实布置出去的任务的反馈信息。

书房门虚掩着，卧室的门却大开着。云在天瞥了眼卧室，见女孩并不在。推开书房门，云在天一呆，整个房间好像被洗劫过一般，到处散落着自己平时剪裁下来的报纸资料，两台电脑全都开着，空调却没开，房间里有些闷热。桐桐正四仰八叉穿着短裤汗衫躺在沙发上，胸口还有一沓剪报。也许是看累了的缘故，云在天见她似乎已睡着，微翘的嘴唇虽然稚气未脱，但穿着夏季家居便服的她，却已有股诱人的气息。

云在天不是圣人，心中难免有所波澜。定了定神后一边整理起满屋子的剪报一边道："我回来了。有点正事要办，你要睡就去卧室睡吧。"

桐桐"嗯"了一声，揉了揉眼后，睡眼惺忪道："你回来啦？我去给你泡茶！"说完起身整理了下衣衫，有些脸红地跑出了书房。

云在天稳定了下情绪，打开几个临时注册的聊天号，上面已是头像闪动。见自己布置出去的"网络任务"已经开始执行，云在天伸了个懒腰后放心地关了即时软件。

"喝点茶吧。去了这么多天啊？有没洗的衣服吗？我来帮你洗。"桐桐在云在天身后问道。

云在天接过茶杯后有些不好意思："没洗的衣服确实都带回来了。晚上都有应酬，酒喝太多，回宾馆倒头就睡，隔天早早出去，就想着等回来再洗也不迟。等会儿我自己来吧。"

"还是我来吧，说好打扫房间、洗衣服和做饭之类都是由我来的。臭衣服在哪呢？"桐桐说完开始去找云在天替换下来的衣服。

　　"这房间就像被人打劫过一样，你看这些剪报干吗？"云在天好奇道。

　　"增加点知识呗。晚上你想吃什么？"桐桐抱着一堆从旅行包中翻出来的衣服走到书房门口问道。

　　"晚上就想喝点粥，吃不下油腻的东西。"云在天边把一大摞剪报资料整理进文件夹边道。

　　"好。下午你不出去了吗？等我洗完衣服，继续上课吧。"桐桐道。

　　云在天头有点大，本来想打个盹看来又要泡汤。"也好，就讲一小时。衣服先放着等会儿再说，你过来吧。"

第十二章

　　不一会儿，坐到书桌前的桐桐手上多了笔和本子。"今天给我讲什么？"

　　"这个市场熊太久了，对于一个牛短熊长成惯例的市场而言，止损比什么都重要，今天我们就讲讲止损吧。"云在天看着绿肥红瘦的盘面有感而发。

　　"止损是吧？"桐桐在本子上翻了几页后边记录边问道。

　　"股市波动风云变幻，并不全都按照图形和技术指标的要求决定趋势的走向，各类信息对股市的趋势走向，很多时候起决定性作用。这就使得即便在市场历练很久的参与者，也难免受突发利空的影响，而出现持仓亏损的状态。你现在虽然在学习技术指标方面的理论，但是一定要记住技术指标服从政策面等大环境，它并不是独立不受外界干扰的。

　　"很多新入市资金由于不懂止损，被一次次的短期技术性反弹所迷惑，每次都以为技术性反弹是市场反转的到来而放任亏损扩大，盲目期望股价重新快速上涨从而获利再出来，也就是不肯有一次的亏损经历。

　　"A股市场数次大熊市，有些新入市且在最高区间介入的，持仓品种往往被腰斩甚至浮亏2/3以上，而且在下一轮牛市来临，并不一定所有的被套品种都能创出历史新高。每轮牛市有不同的最牛品种出现，这种新一轮牛市到来后，解套希望仍渺茫的事例不断在上演着。

　　"想在风险市场盈利首先要学会亏钱，要勇于纠正错误，怨天尤人或盲目乐观丝毫无助于扭亏为盈。特别对于市场最疯狂，或者整体平均估值处于历史相对高位时盲目介入的资金而言，当市场趋势出现真正逆转后，学会严格的止损才能保存实力以利再战。

"严格止损通常意义上是指对市场中期走势出现演变后的纠错行为，也就是牛市结束征兆明显出现时的一种积极防御措施。如果市场处于熊市末期，或者在平衡震荡市时的波段低位，严格止损不但不适用，反而会成为卖在最低区间的代名词。所以，严格止损也是有前提的，不是所有的割肉行为都称之为止损。"

"割肉不就亏损了吗？那很多人都会不舍得的。"桐桐凝神倾听着，突然冒出这么一句。

"确实，炒股本来就是奔着赚大钱来的。要是割肉，账面上的本金突然比原先投入的少了许多，那心情肯定是接受不了。但你要记住，壮士断腕式的割肉，是为了以后更大地亏损到来之前的一种主动止损行为。很多经历过数波大熊市的投资客，为什么在市场几乎绝望时，在别人都被套得无法动弹之时，却有资金进场想买什么好股就买什么好股？那都是因为在感觉市场趋势已经逆转后主动止损的结果。

"牛市是比谁捂得住筹码，不频繁换股；而熊市则是比谁能保留更多的现金头寸。

"这是股市不变的真理。股市中很多事不是心情上能不能接受的问题，而是需要严格的风险控制纪律来约束自己。其实也并不止股市，任何生意都存在着残酷的市场竞争环境，弱者最终都会被淘汰。而强者能生存下来的共同点就是有良好的心理素质。炒股无论是止损还是止赢，都是与自己的心在搏斗。这个现在你不一定能够理解，在市场泡得越久，这种体会就会越深。"云在天道。

"给我举些个股的例子吧。"桐桐记了满满一页后道。

"嗯，图解确实能直观体现止损的重要性。"云在天随便翻了几只自己熟悉的品种后又道："譬如这只股票，你看，它在这个区间堆积了巨大的换手，在这个大箱体的日K线图上，做了很多的底和顶，但每次涨到箱形顶部时，量能就再也放不出，股价始终无法向上突破箱顶的压制。可每次跌到箱形底部时，量能又不断萎缩，股价也跌不破箱底的支撑。这种走势，对于做波段的资金而言是比较喜欢的，可以按照其波动区间进行低吸

高抛的交易来获取价格差。

"但这仅仅局限于其箱形震荡区间没有出现真正意义上的趋势突破。这种箱体震荡，无论是向上突破，还是向下突破，这个盘整的区间就是一个可怕的筹码换手的堆积带。向上突破后，这个堆积带就是强大的支撑带，而如果向下突破，那么这个堆积带就变成了强大的压力带，会造成巨大的反压作用。

"你看，从这一天开始带量中阴线击穿箱底后，此股就展开了连绵的跌势，在刚跌破箱底时，还有个反抽动作来确认突破箱体是否有效，这就是被套住的短线波段资金最好的止损机会。

"如果只懂低吸高抛，但不赚钱死不走，那么短线就变长线了，这就是及时止损的重要性。很多资金不是看不懂图形和量价变化，只是心理上能不能接受，是否肯服输的关系。所以，有个良好的自控能力和严格的执行力，很多时候比交易技巧更关键。"

接着，云在天又陆续打开了几只品种的日 K 线图，指着一些处于 45 度角下降通道的品种对桐桐道："对于这种类型的品种，不但要及时止损，还要切忌不能盲目进场'抄底'，这种趋势是最可怕的，它不是急跌和快跌，而是连续杀跌，但每日的跌幅都不大，且每天盘中有反弹，但一段时间后，你就发现它跌了很多，钝刀子割肉。"

云在天把刚讲解到的几只品种截图后，在截图上画了些圈，又在圈圈的边上引申注明了些刚讲解应关注的简单说明后道："这几张图逐一编个号储存起来，配合你刚记录的一起研究一下就可以了。如果没 K 线图表的配合，只看纸上的记录就不形象化了，这样才能印象深刻些。"

"那再给我说说牛市为什么要捂股而不频繁换股吧。"桐桐道。

"当市场处于强势多头市场时，热点板块下的个股行情会层出不穷，如过分追求利益最大化而频频'见异思迁'，那么很可能是'丢了西瓜捡了芝麻'。每个热点都想分杯羹是不可能的，只要持有的品种有资金持续流入，看好自己篮里的'鸡蛋'足矣。

"我举个例子，这是我很早以前在营业大厅听股友们说的。甲和乙在一波小牛市中皆全仓持股操作。甲在这一轮单边上涨的多头市场中，始终只满仓持有一只股票不动，不论市场热点怎么变换，他自始至终抱定一只股票，充分享受了整个牛市波段的上涨。乙在这一轮单边上涨的多头市场中，一开始便满仓持有了几只股票，当市场频繁出现各种题材和热点，而自己所持有的品种表现不出色后，乙就频繁追逐热点，不断变换持股品种和组合。虽然在这一轮行情中也抱到过几只涨幅高于市场平均水平的品种，但更多的是追入后股价就面临平台震荡或短线回调。忍不住卖了再换入另外的强势板块和品种，除了极少数追高买入后继续保持了几天超强势的品种迅速赚到了钱，其他的短线换股不是打平出局就是亏了一点出局。而亏了一点出局的品种，在短线拉起旗杆并构筑平台整理几天后，往往出现新的拉旗杆或震荡上升的态势，只要持股不动，耐心等上一段时间，扔掉的品种并不比继续追逐的品种表现差。乙就在频繁地换股中，错过了许多日后表现更为出色的品种。而甲持有的品种并没有出色的表现，涨幅更上不了总涨幅排行榜，他只是获得市场平均上涨的利润，但收益却远高于乙曾持有过几十只表现抢眼个股的收益。追求利益最大化的乙非但没有吃足那些强势品种的任何一个大上升波段，甚至收益连市场平均涨幅都远远达不到。说了这么多，你听得也累了吧？今天就到这！"云在天道。

"好的。那我先去把衣服洗了。"桐桐拿着本子走出书房后，云在天看了眼时间，下午的交易又开始了。虽然自己操作的品种牢牢封死涨停，但同板块同概念的品种却都蔫蔫地扶不起来，从最初的全面跟涨到今日的一股走强，中间经历了几个盘整日后，其他跟风的资金便开始选择撤退。

"看来都是短线资金的跟风投机，并没能激活这个板块的人气啊，见好就收的思维已经深入人心，要扭转这种思维不是几个交易日能够解决的。但我已没有退路可言，不做也得做了。"云在天看着死气沉沉的大盘和涨幅榜自言自语道。

下午收市后，指数微跌，虽然市场毫无人气可言，但市场的杀跌动能已经消失殆尽，一些多头的力量正在慢慢积蓄。云在天已经从盘口，依据自己以往的历史经验，发现了几只质地优良的股票有超级资金在缓慢吸纳筹码的迹象，这无疑又给他打了剂强心针。

晚上，云在天喝了点粥后，就开始看网上关于自己操作这只股票的"故事"。他先浏览了几个人气较旺的股票论坛，发现"水军"已经开始行动起来，关于自己这只股票的各种版本的传闻已经被置顶了很多篇。

云在天并不看中论坛上这些帖子是否能起到什么作用，主要是造势吸引眼球，反正投入也不大。接着他又搜索了一下正规的股评荐股之类，也

ZIBEN WANJIA

找到几篇关于这只股票的点评文章，有些是整篇的推荐，有些则比较含蓄，在大势点评后面顺带拖上几句此股的点评。

他一篇篇看，最后看到一篇关于此股的反面点评文章。写这篇文章的分析师，有较高知名度，云在天并不认识。文章着眼处可谓刀刀见血，把这只股票的很多负面因素都毫无保留地一一指出，最后还提醒市场，这只股票纯粹是炒作云云，并没有什么投资价值。

云在天皱了皱眉，沉思了一会儿心情却豁然开朗。有反面的评点，说明这只股票已经受到市场各方的关注，如果一味是吹嘘的评点，反而可能会让久经熊市的市场短线资金产生逆反心理。云在天心里倒开始希望这位分析师能抓住自己这只票不放，连续撰文分析持有这只股票的种种弊端。自己这边连续拔高股价，让迟疑的资金越来越眼红，最终达到在更高位置吸引资金源源不断冲进来接盘。云在天微笑着自言自语："可惜不能花钱来买你的负面点评。"

这则负面评点文章，更使云在天坚定了明日开盘直接打涨停的计划。

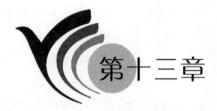

第十三章

次日，云在天操作的股票以"一字"涨停结束了一天的交易。伴随着在低迷市况中的强悍走势，市场关于此股的各种传闻也甚嚣尘上。

"连续两天涨停，股票交易价格在连续3个交易日内收盘价格涨幅偏离值累计达到20%，上市公司是需要停牌公告的。明日早盘应该就会停牌1小时。明天他们应该还不会公告什么实质性的内容，这有利于我们继续推高股价，短期就不会出现'见光死'的问题。"云在天在晚上聚餐时对小齐几个说道。

"那明天停牌1小时后，我们应该怎么操作？"小齐首先问道。

"明天停牌公告的内容基本不外乎'没有应披露而未披露'这样的打'太极'的说辞。具体的实质题材，就这么短的时间也来不及完成布置，他们现在最重要的事是融资。股价被推得越高，融资成功的概率就越大，所以，真正的'故事'是一定会出来的，只不过是时间问题，到时提前会有信息传递过来，我们也可以提前开始减仓操作。从明天开始，我们要计算好每天的涨幅，换种推高方式，开始以小阳线向上缓慢推高。"云在天道。

"他们最终会不会不出实质性重要事项，把我们锁在股票里面，强行融资，这样我们岂不是很惨？"小唐不无担忧。

云在天看了眼小唐那充满狡黠的眼神，心想3个人里就她想得最为细致全面，会把别人没想到的问题都考虑个周全。于是点点头道："这样的

事也不是没有。不过这次我并不是找他们的公司而是个人，因为里面有个人利益在作祟，可以说是绑在一条绳上的蚂蚱。前几天，我没有跟你们确切地透露，那笔大砸盘，接盘的账户是放在我这儿的已经很久不用的分仓账户。为了躲开不必要的麻烦，相关利益者根本就没敢用自己或亲属的账户，而是把钱打到我这儿的分仓账户上。这个是查不了的，书面语言称之为'完全不存在利害关系'。"云在天道。

"这样好，到时筹码兑现了，但他的钱却在我们这儿，我们等不到实质信息，这钱可以扣住不发还。"小唐笑道。

"就你心眼多。这种事不会像你想得那么复杂，人家把钱划到我这儿，就是对我的信任，以后都还要在这个市场中混，谁会做这种过河拆桥的事？风险太大了，毕竟属于内部交易的范畴，把事做绝了，事抖出来，这个大红包一样会得而复失，还有天价罚款和市场禁入之类没完没了的事等着。大家别光顾说话，吃啊。"云在天说完指了指桌上的菜。

"那头儿您估计实质的题材要多久能出来？"小齐又问道。

"我算了下我们的持股成本，加上市场这种行情下热点题材能够维持的最长时间周期，我个人觉得两个交易周是极限了。到时我会催促下，不能拖太久。这段时间内，就以小幅推高为主，避免再次异常波动而停牌，所以时间太短的话也不利于我们推高，往上打出的空间越高，越利于我们完成出货。"云在天边给几个人斟酒边道。

"还有，李总那边的资金这几天会陆续到账，除留一部分资金用作我们的推升资金外，其他的可以陆续买点这几只股。"云在天说完后报了几家公司股票的代码。

"这么大的盘子，你难道想做庄啊？哪做得动哦？"小唐疑惑道。

"这几天我发觉这几只股票中都有资金在耐心建仓，至于是什么资金不清楚，但如你所想，这么大的盘子，绝不可能是一般规模的资金敢于进场的。我只是个人感觉而已，对不对还要过后再验证，总之你们几个只要把我们的这只票看护好就行，另外这几只股，我来买就行。"云在天成竹在胸道。

接下来的交易日，小齐几个很小心地缓慢推高股价。虽然市场对此股的传闻越来越悬，但云在天却不急不躁，碰到有小股的游资进场，他就吩咐他们放出巨大的压单压制股价以防止盘中出现快速上涨。而自己则在小齐的大本营里逐步吸纳自己看中的几只有资金进场的权重股。

如此运作了一个星期后，市场突然在周一出现了一波蓝筹类股票的拉升走势，波澜不惊的指数，在这些权重股的突然推升下出现了罕见的飙升行情。

"头儿，你看好的这几只股票，今天走势怎么这么凶悍。竟然出现了许久不见的万手大单啊！"小齐面露佩服之色。

云在天皱了皱眉后道："看来前几天没看错，这些股票中确实有大规模的资金在吸纳。但这样反而可能会打乱我们的计划，如果这些权重股不是昙花一现的盘中拉抬，而是真正走出一波有点持续性的行情，那么市场捉襟见肘的资金肯定会被这批股票吸引过去，对我们运作不利啊。没想到会发动这么早，看来各类机构也都是人心思涨，想热热身试试盘做波行情了。"

"不知我们这只股票什么时候能出实质利好？"小齐有些焦虑。

"应该就是这几天，耐心等吧。"云在天紧盯这几天自己正在建仓的3只股票。

"今天一部分权重股已经放出年内单日最大成交量了，肯定不是盘中护盘或掩护其他资金出货的目的。这几天大盘5日和10日均线在快速发散向下后已经趋缓走平。大盘本来就有见底企稳的征兆，今天权重股大涨后，5日线翘头上穿10日线形成了黄金交叉，这个波段调整应该结束了，市场应该会走出一波反攻行情吧？"小齐边看涨幅榜边问道。

"嗯，今天两市的成交量也接近年内最大的成交量，但放量过大。权重股开始强势做多，如果能有效激发市场的做多欲望，逐渐以点带面，吸引越来越多的资金开始进场是最佳情况。相比之下，温和放量就更长久些，今天这种量能，明后天可能会稍微盘整一下。我这几只刚开仓的品种短期涨幅过大，已经不适宜继续加仓，如果这几天大盘没有利好刺激，权重股的行情就难以出现连续轧空式上推。"云在天边说边不断翻看着5分钟涨跌幅排行榜，观察着是否有新的题材出现快速拉升的迹象。

"除了少数权重股外，还是没什么热点跳出来。市场还都在观望，今天这根放量大阳线倒是让指数脱离了底部，如果明天开始有新的热点冒出来，那么这波行情就热闹了。如果仍是今天的权重股唱戏，则它们开始调整后的反作用力不可小觑。小齐，收市前你开始减掉点筹码。"云在天看

着马上要收盘的指数道。

"好的。"小齐打开一个已满仓的账户，输入了一笔卖出股数后转头望着云在天。

云在天望了一下后点点头表示可以。

"今天晚上我们要开个会，研究下这几天的部署。无论那边有没有消息，今天市场量能开始有效放大，整个市场的承接力度开始增强，我们明天要正式开始减仓了。"云在天让小齐通知了小吉和小唐。

云在天精神高度紧张了一天后，带着有些疲惫的身躯回到住处。一如以往，桐桐在吃完云在天打包带回来的食物后，又软磨硬缠着云在天给她灌输看盘知识。

"你就不能让我清静几天？这几天眼睛用得太多，看屏幕都有些眼花了。"云在天没好气地说。

"那你就别看电脑了，给我讲讲你炒股的历史吧。"桐桐见云在天一头倒在沙发上，便拿了个椅子坐到他身边。

"哪有什么故事可言。股票这东西毫无神秘之处，在电脑上买进卖出，就如同烧菜洗碗一般，都是熟能生巧的事。经验是最重要的，第一次烧菜难吃，但烧得次数多了，都会摸索出一套技巧来，没有人会把菜越烧越难吃吧？"云在天眯着眼睛道。

"你就跟我说说嘛。"桐桐两手抓住云在天的胳膊晃了几下。

"怕了你了，我想想，今天说点什么。"云在天轻轻叹了口气走到电脑旁。

云在天看着电脑，打出一段箱形震荡的K线组合后道："我现在都是站在一个散户的操作角度出发来给你随便讲讲的。你看，譬如这一段时间的大盘，市场除了牛市和熊市外，还有一种市场特征，那就是多空角力后势均力敌的平衡市。多空双方都无法在较长周期内占据绝对优势，就形成了上下震荡的平衡市。历史上这种平衡市通常是个股炒作的天下，指数波澜不惊的背后，却是个股行情的轮番表演。

"平衡市通常有很多个向上倾或向下倾的小箱体构成一个大箱体。而箱体内箱底至箱顶的运行，就构成一个个波峰浪底。结合前面所提到的波段头部和底部的一些综合研判方法，在波段头部不追涨，在波段底部不杀跌，相反学会'追跌杀涨'的箱体波段运行中的操作方式和心态，能够适时规避减少箱体内追涨杀跌而带来的短期亏损，并时刻能在箱体运行中低吸高抛。这样，不但能保持住良好操作心态，也能提高盈利的胜率。

"'追跌杀涨'算是一种新术语，其实就是'高卖低买''逢高卖出、逢低吸纳'的同义词，但其用于箱体震荡格局下的波段操作似乎更贴切些。其中的'追跌'，就是主动在波段调整进入尾声，市场局部心态恐慌到一定程度但杀跌动能却开始衰竭时的主动'买套'行为；而'杀涨'，就是在波段上涨进入后期，指数开始滞重、市场乐观情绪蔓延时，主动'杀'出获利盘兑现收益的一种行为。

"'追跌杀涨'一词比较适用于波段操作，超短线交易的用这种模式可能并不合适。而在熊市到来或牛市到来后，这个模式也不合适，熊市越'追跌'越跌，熊市的下跌是连绵不断的；牛市越'杀涨'越涨，牛市的疯狂也是不会马上结束的。面对牛市及熊市最基本的方法，以后有时间再慢慢和你说。"云在天说完关闭了电脑。

"说就多说点嘛，又挤牙膏。给我说说庄家的事和内幕消息方面的事好吗?"桐桐合上练习本道。

云在天怔了怔，然后摇了摇头道:"庄家? 内幕消息? 这些事我不清楚，怎么和你讲?"

桐桐颇有深意地看了眼云在天，没有再开口。

第十四章

周二上午。大盘惯性高开。

"头儿，集合竞价我们已经减掉了几百手筹码。"小齐看着成交回报道。

"今天整个大盘集合竞价的量就很大。我们这边竞价没有报进买单，依然能够靠集合竞价卖出一点筹码，看来全归功于权重股。从今天开始，不用再频繁对倒做成交量了，能够减掉一些是一些，即便等会儿股价沉下来也没关系，在关键技术位放几张大单进去托住股价就行。"云在天道。

大盘惯性高开后，有个短暂的上冲动作，然后开始逐波回落试图封闭当日向上跳空缺口。云在天操作的股票，由于没有不间断地对倒盘推高股价，抛盘开始出现，盘口有些滞重。云在天吩咐小齐在昨日收盘价位上放1000手的买单进去。

大盘三波小幅回探，都没能把当日跳空缺口完全封闭，就被一波放量的大买盘快速拉起。云在天又让小齐在昨日收盘价位上下各一个价位报进各1000手的大买单后道："借了大盘的光，只要报些大买单进去，小资金就不会急于兑现了。你只要看到有百手以上的买盘，就砸掉它。"

中午收市前，权重股的拉升开始遇到阻力。云在天看了看量价，觉得有些背离，就分几笔把前几天建仓的蓝筹股减掉了一只，兑现了一部分短线利润。

下午开市后，市场的气氛有些沉闷。权重股筑起了平台整理后，指数

64

也处于一个狭小的区间内运行。

"头儿，看，牛疯子的票拉起来了。"紧张盯盘的小齐突然回头对坐在沙发上看报的云在天大声道。

"别紧张，你放松些！"云在天瞥了眼5分钟涨幅第一位的股票，那是牛疯子操作的品种，果然在分时图上出现了放量井喷的状态。

"他的票盘的时间最久了。他大概又揽到了新的资金，'弹药'又充沛起来了。"云在天微笑着道。

"我们挂在上面几挡的小卖单瞬间都被人拿去了。"小齐看着成交回报说。

云在天迅速拿起电话通知小吉："你也开始减仓吧。上面挂些小规模的卖单出去，下面看到有大些的承接买单就沽给他们。卖出手法要温和些。"

一个下午，几个人都在慢慢减仓，虽然没有大笔抛售，但由于云在天已吩咐不再大笔对倒拉升股价，所以股价始终停留在收盘价附近震荡。

临近收市，云在天看了看没有再大幅向上攻击的力度后对小齐道："今天大盘虽然可以收根中阳线，但成交量却比昨天略有萎缩，行情未必会像舆论那样乐观。你在收市前报笔买单进去，我让小唐在涨幅3%的位置挂笔卖单出来，收盘价做上去些即可。"云在天说完通知了小唐。然后看了看手中还剩下的两只蓝筹股，拣其中一只走势较软的，在收盘前两分钟悉数抛尽。

收市时，云在天这只全天没有动作的股票被一笔对倒盘拉升了近3%收盘。

"那边还没消息吗？"小齐迟疑了一下后还是问云在天。

"还没有！今天老牛的股票下午强势封住了涨停，虽然也没带动整个板块，但前几天一些走弱的同板块品种又有资金进去了。不管今天进去的资金是前期短线获利走人的资金又卷土重来了，还是有新的资金接棒冲进去，对我们减仓都是有利的。以老牛建仓的成本看，现在这价位是难以全身而退的，这样我们即便不再投入资金拉升，由于板块在大盘的配合下重新趋于活跃，我们也不必担心没有一点跟风盘进来，有多少进来我们就先兑现多少筹码。等那边确切消息过来了，我们就准备对倒拉升最后一波完成撤退目标。"云在天回答道。

就在当天晚上，云在天接了一个外地区号的固定电话。

"云先生，具体的购并投资消息会在周四晚间公布。主要是投资一家游戏类网站，并在公布事项中提及具体投入金额。在未来展望中，还会有公司将继续寻找更多增长点来分享互联网暴发性增长带来的契机。这样带上一笔，又是个炒作题材吧？"电话那头压低声音道。

"这类重要事项的公布肯定会刺激股价，虽然已经涨很多了，但还是会有傻钱在公开披露信息后追涨的。周五你把那部分筹码在涨停兑现了吧，记住要集合竞价挂涨停价格。你可真够小心的，用公用电话打的？"云在天问道。

"小心驶得万年船。现在对内幕信息查得越来越严，多点心眼不会错。"电话那头道。

云在天笑着道："你们公司为了融资，先抛这么个诱人的题材出来，至于项目能否赢利还是个未知数，我们可不留在里面参与你们的再融资了，但愿这个利好能助我全身而退。"

"我们之间双赢就是最好的结果了。那我挂了。"电话那头的男人没有继续聊下去，迫不及待地收了线。

云在天算了下手中各账户的持仓情况，摇了摇头，心道接下来两天还得加紧减仓，等这家公司周四晚正式公布重要事项后，周五还要以对倒形式涨停开盘，然后一路出货到收盘。届时就不再护盘了，有多少接盘就打掉多少。

接下来的两天，大盘量能并没有持续放大出来，而是出现了逐级回落的趋势。虽然指数表现为高位震荡态势，但市场开始出现了各类资金自救的局面，很多被套很深的资金也开始利用大盘的短期走强，而纷纷拉抬手中的品种来减亏。

云在天却利用市场短期人气维持较为旺盛的市况，连续采取减仓动作。他操作的股票在市场热点纷呈的背景下，连续两天逆市下跌。周四收市后，云在天召集众人事先布置好了周五早盘的操作任务。

周五，云在天9点左右便来到小齐处的证券营业部，先站在散户大厅里，在角落里的一台电脑上装着看电脑，观察市场反应。

"呀，这只股票今天有重大利好啊！"云在天边上一个30多岁的男子一边看着电脑一边对一个头发已经花白的老年男子道。

"股价都涨了这么多，有内部消息的都赚翻了，你还去趟这种混水？"老年男子看了看年轻男子道。

"这几天不都在跌吗？昨天也没拉尾盘啊，这样的题材，应该还有30%的涨幅吧？我准备稍微追点赌一把，就是不知道在涨板上买不买得到。"年轻男子看着电脑屏幕道。老年男子也看着这只股票，但没有继续接话茬。

云在天两眼一眯，轻轻绕过看盘的众人后出了这家营业部，直奔小齐的大本营。

"头儿，今天根本就不用我们自己对倒封涨停。你看，不知哪来的买盘，股价直接封在涨停上了呀!"小齐兴奋道。

"我让小吉把涨停上的买单撤了。你这里账户上的筹码现在全部清掉。快!"云在天看了眼时间，9点30分整。

正式开盘后，小齐快速地打开几个账户依次全仓申报了卖出。在涨停板价位上的一万多手买单瞬间被小齐的连续抛单打掉，股价打开涨停后迅速回落。

"我这边的账户出干净了。"小齐忙碌地翻看着成交回报道。

云在天拨通了小唐的电话："现在还有6%的涨幅，你那边也开始分批出吧，昨天收盘价以上的价格都可以出。"

"现在筹码最多的是小吉那边管理的账户了，两边一起出是出不了的，等小唐出完再看情况吧。"云在天喃喃自语道。

资本玩家

第十五章

"老牛操作的这只票今天继续表现凶悍，这是他一贯的操盘手法。这对我们减仓有一定帮助，他的票没有促成股价上涨的利好刺激却连续上攻，我们的票有利好刺激却并没继续大幅上涨，这就会对一些不服输的短线资金造成短时间的比价效应。今天的追涨盘中如果也有一些稍具规模的资金，那么今天的盘中肯定还有试图再次或多次攻击涨停的欲望。"云在天看着自己操作的这只剧烈盘中换手的股票。

"小唐卖出时的习惯就是会分成很多笔，一般从不挂大单卖出，也不会大单往下主动杀出，所以现在盘口上买盘受到的压力是比较均匀平衡的。"小齐看着股价维持在涨幅4%至5%之间的这只股票道。

云在天点了点头道："就这样慢慢减，能减多少是多少，不必再对倒了，不然筹码就减不下来。权重股的这次短暂井喷，缺乏基本面的配合，在大趋势没有发生转折前，这样的拉抬反而会损伤市场的元气，太消耗资金了。我估计做多动能经过这次发泄后，会重归平静，我们能够全身而退就是上上签了。"

小齐一如既往地点了点头，没有发表自己对大势的看法。

一天的交易又很快结束。收市后，小唐给云在天打来了电话，"我这边还剩20%的筹码没能派发掉，如果今天要全部沽完的话，股价就会被打绿。按照你的吩咐，只在昨天收盘价上出。"

云在天看了眼以微幅上涨不足1%的这只股票后道："那就不错了，

出得太猛的话，也就太明显了。现在这价已经是收出了一根巨量长黑，形态很难看。哦，对了，下周一开始你可以休息几天，还剩下的20%筹码，我来处理。"

"不用了吧？等这挡交易完全退出后，大家一起休息不好吗？这次你得带我去'穿越'了吧？"小唐略带调侃地道。

"就你那走几公里都坚持不下来的娇惯体质，能做'背包客'吗？好了，明天开始你和小齐就能好好休息几天了。"

"你就不能找点少走路少爬山的项目吗？譬如坐邮轮几日游那种，欣赏欣赏大海，邮轮上的节目也很多，这才是真正的度假吧？像你那样一座一座山地翻来翻去，哪是什么放松心情，完全是给自己找罪受，我才不稀罕呢。这次啊，我找个帅哥，一起坐邮轮出海去，那才叫浪漫才叫散心。"小唐道。

"不错！是该享受下生活。"

挂了电话后，云在天伸了个懒腰对小齐道："这阶段大家盯盘也蛮累了，你这里没什么事了，明天开始可以休息，想去哪旅游一段时间也可以。"

"乘着大盘还有些人气，我们不继续再干几笔短线？"小齐精力旺盛且心情愉快地对着云在天道。

"休息是为了更好地战斗！我放你一星期假，明天不用来了，我再和小吉守几天，等全部撤退完毕后，我也要出去放松一下。"云在天笑着道。

"头，您又是要去找罪受了吧？像您那种徒步穿越深山老林的'放松'，对我而言可不算什么'放松'。"小齐装出一脸恐怖状。

"你和小吉平时都不爱锻炼，白天电脑上看行情，晚上玩游戏之类，接触电脑的时间特别长，这电脑屏幕的辐射可强啦，久而久之，人的免疫力就会不断下降。你看你们碰到气候多变的时候，就经常会感冒。至于去健身房健身之类我看也未必，只要每天散步一小时左右，也是一种很好的锻炼。今天晚上不聚餐了，这几天得养足精神。"云在天关掉几台电脑后吩咐道。

回住处前，云在天去买了些自己平时喜欢的熟食。

"今天回来这么早啊？"

云在天刚进门，见桐桐正蹲在客厅擦地。

"在收拾屋子呢？我每隔十天半个月的会找钟点工来打扫一次，你就不用多此一举了。"说完，云在天把熟食放在餐桌上，"我去打个盹，麻烦你把菜装盘子里，捂着味道不好。"

"买这么多啊，我妈说熟食这种天气容易坏的。"桐桐站起身，边找盘子边道。

云在天"嗯"了声，走进书房后把门上了锁。说是打盹，其实云在天是怕桐桐又来找他"上课"，面对从未进入市场却问题颇多的这个女孩，云在天已"心生恐惧"。毕竟实战和看图说话虽有类似之处，但很多临时的应变和处置技巧，是无法通过口头表达来透彻解释的。股票操作，经验、本能和心态都至关重要，图看得再懂，到决定关口需要处置时，凭的却是心态和第六感，有时还要外加一些运气的成分在里面。

云在天打开自己设定的分类板块，自己操作的这只品种在全板块中，今天表现是最差的。相反，没有任何利好刺激的同板块品种，反而是所有板块中表现最为抢眼的。云在天闭目沉思，今天的大幅减仓，一是基于对整个大势上涨的性质并不看好，觉得这不过是一次盘中较大级别的波段上涨而已。二是所操作的品种随时面临再融资，如果不果断减仓，一旦该公司再融资计划成行，那么在这种市况下，该股就会成为市场资金敬而远之的对象。到时候，无论怎样的题材都会被市场认为是为了圈钱而设计的，再想全身而退就成镜中花了。

他打开几个网站，自己操作这只股票的相关板块信息开始日渐增多。云在天微皱的眉头渐渐舒展，一边翻看着一条条行业新闻一边自语道：看来进入这个板块的资金开始"各显神通"了，每次市场出现一个热点，网上相关的报道和评论就会日渐喧嚣热闹，等操作的资金撤得差不多了，这股热乎劲也会随之消散，留下一大批追涨的傻钱在高位站岗放哨。年复一年，月复一月，从来就没改变过，但总有不吸取教训的资金来做最终的买单者。

云在天看了看自己常用的几个大盘短期指标，还纷纷处于底部黄金交叉后的加速发散上行趋势，觉得指数短期还不会立刻重回下降通道的格局。网络概念板块的很多品种刚被市场后知后觉的资金发掘出来，不可能迅速偃旗息鼓，这就给自己操作的品种留下了一个缓冲的出货过程。

他研究了一会儿股市后，开始在搜索地图上寻找合适的徒步旅行地点。

晚饭时，云在天一边喝啤酒一边问桐桐："你外婆还没回去？"

"还没有。她要照顾我妈。"桐桐低着头只顾往嘴里扒饭。

"这么多熟食你不帮着消灭些，只顾吃白饭。你妈还在医院？你以后有什么打算？是继续学业还是去找个工作锻炼一下？"云在天看了眼女孩道。

桐桐呆呆地看了眼云在天，"不想再上学。我想学炒股，可是……没资金。"

云在天微微摇了摇头道："股票可不是适合每个人的。你一点社会经验都没有，直接进入股市这个大染缸，对人性的了解可以说是一张白纸，光靠看图表肯定要吃亏。"

"所以现在不是在跟你学吗？我要拜你做师傅。"

"师傅可不敢当。我只能教你一些皮毛上的东西，经验和心态是教不来的。总觉得你这个年龄就进股市太可惜了，至少把大学的学业完成再考虑也不迟。至于经济上的问题，我可以帮你一把。"云在天对于女孩母亲和家里的事至今不甚明了，见她每次都刻意回避，也就没多问。

见女孩继续闷头扒饭没接自己的话茬，云在天苦笑了下，继续喝着啤酒。

"什么是公司资产重组？不要字面上的解释，要实质点的内容，能给我说说吗？"桐桐突然问道。

云在天正眯着眼呷了口啤酒，冷不防被她一问，一口酒呛在喉咙口。他猛烈地咳嗽了几声后道："你的问题怎么层出不穷？给你看的书上都有这种名词解释吧？自己认真多读几遍就能理解字面意思了。"

"字面意思我有点懂了，就是想知道多一点的黑幕。"桐桐凝视着云在天。

每次被她这么仔细地凝视着，云在天就感觉浑身不自在。他顿了顿后道："我哪知道什么黑幕？要是能这么清楚，我还住这样的房子？不早住江边那些大宅了？

"资产重组这事吧，有其两面性，也有业绩每况愈下的公司经过资产置换重组，剥离亏损业务后走上良性发展的，也有纯粹为了保"壳"或买卖"壳"资源的重组。那些股票名称被特别处理的公司，在一定的时间

后，如果无法摘掉特别处理的'帽子'，那么就面临退市的风险，这样就不能在主板正常交易了，更无法获得再融资的资格。所以，那些潜在的、存在重组可能的股票，就会被市场反复地炒作。有些是纯粹的瞎炒，其中的主力资金并没有确定的公司资产重组的信息，也就是你刚说的'黑幕'，这样的资金完全就是在赌重组。

"另外就是从上市公司处获得内幕消息，在相关重组等重要事项出台前就早已获知并提前潜伏进去，等消息公布后套现离场。现在市场开始处于全流通状态后，有些玩家不再通过二级市场买入来完成日后的退出，而是以更低成本通过购买大股东持有的股份而直接控股上市公司，然后注入自己的优质资产对接手的公司进行大换血，这样不仅能保'壳'，还存在脱帽后的股价增值和再融资的双重套利'成果'，可以说手法是不断翻新的。

"可以说，通过内幕消息的便利，对二级市场股价的炒作，风险也是存在的，那就是来自监管层面的。而通过公开的收购进行的重组，虽然其中也涉及重重内幕，但由于是放到台面上的事，即便通过其他隐蔽的账户，一边在二级市场炒作，一边进行正式的重组事项，反而较易逃避监管。但总体上来说，利用内幕消息而操作股价的事例虽比比皆是，真正最后被查的却屈指可数。"云在天尽量简明扼要地叙述。

"那岂不是很不公平啊？"桐桐拿起易拉罐给云在天斟满啤酒。

"不能再喝了，我的酒量差得很。信息不对称是小股民进入股市后首先得面对的问题。也不用说资产重组这样的重大事项，即便送点或转增点红股，消息也大都提前泄密。等你小股民知道公开信息了，股价早已大涨了一大段的事多着呢，我就从没看到有被查的事。你也可以喝点。"云在天指了指桌上还剩的一罐啤酒。

"我的酒量却不差。我也想喝点。"桐桐用舌头舔了下嘴唇。

"喝吧。不够冰箱里还有。"云在天希望啤酒能堵上她爱提问的嘴，自己能清静片刻。

桐桐把啤酒倒满自己吃饭的瓷碗，一仰脖咕嘟咕嘟几口喝完。她抹了抹嘴，"还想再来点。"说完起身又去冰箱里拿了几罐。

云在天笑了笑道："你这叫牛饮，没人和你抢着喝。你慢慢喝，我去收拾下东西。"他走进卧室，从橱里拿出个大旅行包摆在地板上，然后把其中的东西一一拿出来，并拿了支笔在纸上开始写起来。

第十六章

"在收拾什么？"

云在天正低头翻着旅行包，抬头看了眼女孩："过几天要出去散散心，还缺点'配置'，这两天得去补充一下。"

"那又不能给我讲课了！你去哪里？我跟你一起去！路上还能多给我讲点股市的事。"桐桐说完就走到云在天身边，"有什么要整理的我帮你。"

"也没什么可整理的。我可不习惯带上个累赘去徒步旅行。你那身子骨，背不了沉重的装备，更走不了几天的山路。"云在天边把一地的旅行物品装回旅行包边数落着。

"带上我吧。我一定不会拖累你，我体育课成绩很好的，长跑成绩排在年级前几名呢。"桐桐央求道。

"我考虑一下再说。"

"不要考虑了。师傅带上我吧，让我锻炼一下。"

云在天想了想，以前一个人徒步挑战自己体能的极限，并不是不想找几个伴，而是很难在熟识的人中，找到志同道合之人，过于陌生的旅伴又缺乏安全感。他觉得在旅行的这个过程中，适度的语言交流能起到放松心情的作用。

"带上你，我就得找路程不是很长的目的地。至少两天一夜的路程全部靠双脚行走没有交通工具辅助，你能坚持下来吗？"云在天望了眼满脸

企盼之色的女孩道。

"放心吧！我没问题。"桐桐做了个胜利的手势。

"那你明天去买双软底的低帮运动鞋，凉鞋不行。还有要长裤和长袖衣服，你有吗？"云在天问道。

"你前些天不是给了我一些钱吗？但只买了些夏天替换的。明天我去买鞋时也一块儿买回来。"

"嗯。其他的东西，这几天我会去采购。"云在天道。

周一，云在天来到小唐所在的营业部处理剩余未抛售的筹码。

大盘略微高开后便在上日的收盘点位附近开始了磨人的震荡整理。云在天看了看分类板块，网络信息股依然是市场的短期热点，这种权重股搭台、题材股唱戏的市况，维持住了市场的人气，盘面时不时有品种出现快速拉升的走势。但云在天操作的品种，却由于昨日的天量高开长黑的影响，而表现欠佳，又成为分类板块中唯一翻绿的品种。

云在天看自己这只股的股价虽然下跌了2%，但买一到买五之间倒是有几千手的买盘托单在护盘，估计是昨天短线资金被套后的无奈之举。他把小唐这边几个账户中剩余的筹码全部按买五的价格连续几笔申报卖出，看能出掉多少是多少。

他的几笔大卖单把这只股票买一到买五的几千手买单全部砸掉，分时图上股价迅速如瀑布般挂下来。但没过几分钟，股价又在买盘小心翼翼的推动下，回到了刚才云在天做空卖出的位置上。由于这几笔卖单中还有部分没有成交，所以买盘推动到云在天卖单后便停止了，做多的力量不肯轻易把堆积在这个价位上的卖单扫掉，而是在云在天的卖单下方构筑起震荡平台。

"挂着吧！看看昨天到底有没有新的规模资金进场，如果有，卖单等会就会被掀掉。"云在天心道。

这时，云在天的电话响了，云在天一看，是小吉打来的。"头儿，我这边要开始陆续卖出吗？"

"先看看再说。小齐和小唐从今天开始都放假了，你要再坚持几天，我估计等他们放完假后，你也可以休息一阵。现在卖一上的卖盘就是小唐这边的剩余筹码，你看多累，一直无法全部成交。"云在天看着自己始终无法成交的剩余卖单也有些无奈。

"从龙虎榜的统计来看，昨天这只股也进入了买入前五位席位的第五名。不过席位号只代表整个营业部，也可能是很多分散的资金集中追入导致。"小吉道。

"嗯！我就看看昨天有没有规模资金进去，所以挂着没成交的单子也不撤。如果这笔单子上午能够扫掉，就证明还有资金想短线操作这只股票，你在我这笔卖单的价格以下可以开始小笔卖出。这只股昨天卖出前五位席位中，卖出前两位就是我们所在的席位，一个地方的两个营业部同时登榜，有些招摇了。等这次撤退完毕后，如果再要重仓介入其他的品种，一定得转移阵地，到时可以选个整体环境不错的二线城市。"云在天道。

"好的，知道了。"小吉道。

"等小唐这边的筹码全部顺利兑现后，我就去你那。"云在天挂了电话后，百无聊赖，就在电脑上玩起了象棋游戏。

云在天挂着的剩余卖单，直到上午临收市前才被一笔大买单瞬间扫掉。这笔几乎压制股价一上午的卖单被扫掉后，股价快速出现了拉升动作，并在收市时以微幅上涨报收。

在外面胡乱吃了些快餐后，云在天就赶往小吉处。

"以前没指定交易的时候就是方便，一个账户可以在不同营业部交易。现在一个账户一个'坑'，你看我就像跑码头赶场子呢。"云在天接过小吉刚泡上来的茶后笑道。

"确实没以前方便了。这大概是他们便于监管吧？"小吉顿了顿后又道，"上午收市前这波拉升，我在您吩咐的价格区间卖出了几百手，现在股价翻红了，开盘前要不要再沽出些？"

"下面 5 挡买盘加起来也没多少，第 10 挡倒有个 500 手的买单，只是不知会不会一开盘就急忙撤掉，上面的抛盘倒是挂得密密麻麻。你先挂笔 800 手的卖单，往这第 10 挡的价格上抛。"云在天心算了下前 10 挡的买盘总量。

下午开盘后，小吉的抛单迅速把股价砸低了几个价位，但没砸到上午收市价下的第十挡买盘便全部成交了。

"看来接盘还是有点力度的，先缓缓吧。"云在天看了眼没有被自己抛单砸下的股价道。

"嗯。现在市场超短线资金和做右侧趋势交易的资金，往往在股价走

75

强后才会操作，大家都不敢在左侧抄底，而是等股价起来后'坐轿乘船'，要是有消息面的配合就更佳，这种追涨杀跌的习惯，什么时候都改不了。"小吉道。

"不都说炒热点要参与领涨品种吗？虽然我们操作的这只品种这几天表现不好，但却是第一个起来，目前为止绝对涨幅也是最大的。虽然短线这个带量高开长黑有些可怕，但周线和月线还是一个典型的攻击形态，且周线和月线的指标也都是底部黄金交叉后开始向上发散。从短线操作的资金角度看，这种形态从日线级别上而言一般会有个二次冲顶或再创新高的可能。从周线级别看，会再次碰触上影线的可能，这就是'赌'啊。"云在天打出几个过去牛股的K线图给小吉对比。

"从绝对涨幅看，我们操作的这只品种根本还称不上凶悍。说不定会有资金接着继续炒作呢。"小吉道。

"有可能。不过我们还是胃口小点好！我判断大盘的趋势还不可能马上扭转，这应该是下跌途中的一次级别较大的反抽行情。你看今天大盘的总成交量，又比昨天小。增量资金进场的速度已经开始慢下来，大盘接近上个整理平台后，卖压也开始加重。外围增量一旦停滞，短线解套和获利盘就会蜂拥而出，到那时，想出也出不掉了。我们可不比小资金，小资金'船小好掉头'，几秒钟就能完成清仓了结，我们不行，得打提前量。"云在天说完，随手打开一个账户，对着一个较大买单上的几笔小买单连续减掉了几十手筹码。

"我来吧，您休息会。"小吉道。

"反正坐着也是无聊。虽然看着这种较大的买单很眼馋，但还是不一笔打掉它好，力度过猛就会引来其他套现盘的跟风。"云在天边笑边观察着牛疯子操作的品种。

"他操作的品种，从绝对涨幅来看，快接近我们这只了。前些天一直在盘整，但这波做得很凶悍！这波是他做领涨行情了。"小吉凑到云在天边上看着屏幕。

"他是绝对不服输的性格啊。"云在天看着牛疯子那只继续高举高打的股票道。

第十七章

　　"今天整个板块都比较活跃，还有几个新面孔跳出来，都看牛疯子的股票脸色呢。"小吉道。

　　云在天点了点头道："越多新面孔出现，就越得提防着点。这也是板块热点开始接近波段尾声的特征之一。虽然有时后来居上的情况也不是没有，但对我们出货就没什么帮助了。"

　　"我上午估计有资金想把这只票做盘做成阳包阴的，但明显实力不够。您看，每次盘中的短线上冲都是被其他股带上去一点，5分钟涨幅里有同板块的品种拉升，它就被动跟一把。"小吉道。

　　"要是把这边账户上的筹码都挂出去，那就连被动的跟涨一下都没有了。你这边的筹码本来就多，按照这种速度减，恐怕这一周都减不完。大盘至多还有两到三天就会有波回调了。如果是回调后继续上攻还好，要是回调后像前几次一样一路杀下去，那我们也只能倒货了。"云在天看着股价表现吃力的大盘道。

　　临收市前一刻钟，网络信息板块中有几只后发制人的品种开始大幅飙升。

　　"这几只倒都是业绩不错的品种，这波反弹中绝对涨幅都小，看来以前被套在里面的主力也开始自救了。"云在天说完，开始主动卖出手上这只股。

　　连续的但单笔手数并不大的抛单，一路把本来就很辛苦支撑在收盘价

上的股价快速打下。云在天看着账户上大量的浮盈筹码，狠了狠心继续逆同板块其他品种的拉升而采取连续卖出的反向操作。

收市前几分钟，被云在天连续卖出打压到已下跌 3% 的股价开始有资金护盘。云在天缓了缓后，又在现价到昨日收盘价之间不同挡位挂出了几笔卖单。收盘时，并没有大单把股价拉至收盘价附近，股价以下跌 3% 结束了一天交易。

"就这样也才走掉 3000 多手。"云在天皱了皱眉后苦笑道。

"你看，牛疯子的股票也杀了把尾盘，应该是被我们带下来的吧？"小吉边快速翻看着同板块的其他品种边嘀咕。

"他的股票已经拉过这个筹码堆积密集的区域，应该也是边打边撤的阶段了。第一波就是我们这两只股票率先发动的，肯定会受我们的影响。毕竟现在不是大牛市，获利盘还是比较松动的。"云在天看了眼自己这边全天成交回报的总成交均价和卖出总量。

"还有这么多筹码怎么出啊？一出就会打跌停呢。"小吉道。

"只能用大买单的方式吸引市场的跟风盘了。明天我在小齐那，集合竞价阶段和盘中连续竞价阶段，用申报大买单后快速撤单的方式来试试看。小齐和小唐处的账户现在已全部清仓了，大单申报的资金足够。"云在天下意识地摸了摸鼻子。

"也只能这么办了。"小吉无奈道。

周二。9 点 15 分的时候，云在天在小齐所在的营业部，以涨停价申报出一笔 3000 手的大买单。9 点 19 分左右又迅速予以撤单。

正式开盘后，股价在云在天虚假申报买盘的刺激下，没有继续低开，而是微幅高开了几分钱。

"等会盘中我会不断在买四买五上挂出大买单。你今天就不断减仓，2000 手以上的买单都是我这边挂出的，你不能往大单上砸。"云在天吩咐小吉。

当股价在昨日收盘价附近盘整了一刻钟又有下沉的趋势后，云在天在买四的位置上突然挂出一笔 5000 手的买单。大单刚挂出不久，在买一到买三附近就有一些小买盘开始以价格优先的方式开始出现。当买四价位上变成 5 300 多手的时候，云在天马上电话通知小吉道："我马上把 5000 手买单撤了。你看到我这边撤单后，立即把买四以上的买盘全成交了。"

"知道。"小吉道。

当云在天迅速把 5000 手买单撤销后，买一至买四上累计的 600 多手买盘被一笔抛单全部砸掉。云在天又在变动后的买五价格上挂出了 10000 手的买单。

通过这种大买单连续虚假申报的手法，最多时在买三到买五申报手数超过 25000 手的方式，短期形态已经走坏的这只股票，竟然在全天维持住了昨日收盘价上方的震荡走势，短线被套的一部分追涨盘，也利用云在天的大买单托底，展开了数轮盘中拉升。虽然收盘时股价只小幅上涨，但小吉全天却减仓超过 8000 手。

"虽然我这边也牺牲了数百手的买单，但比起那边的出货量还是合算的，我这边成交的几百手股票随时能压低甩卖掉。明天还用这种手法，不过我得换到小唐那里去操作。"云在天收盘后问了下小吉还剩余的筹码数量。

"按照这个速度，周四基本能减掉 80% 以上的筹码，剩下来的量即便两个跌停再跑都无所谓了。"小吉道。

"不用那么悲观。虽然我判断大盘不过是力度较大的反抽行情，但此股毕竟是有实质的题材在支撑着股价，其他没有任何正式公告的品种都在快速跟涨拉升，在这只股里的分散筹码是不肯轻易在大跌中斩仓出局的。"

云在天又和小吉商讨了会儿接下来几天的减仓区间，随后才离开了营业部。

接下来的两天，云在天分别在两处营业部通过大单竞价时间虚报涨停，盘中交易不断在买三至买五挡托出大单的手法，维持住了此股的高位震荡走势，小吉不间断减仓从而达到了大幅降低仓位的目标。

周四收盘结束后，小吉马上给云在天汇报最新的持仓情况。"已经减掉 75% 左右的仓位，还有 25% 左右的筹码，和预期的目标基本符合。"

"很不错了。今天大盘这个阴线虽然还属于小阴线的范畴，但却是光脚的阴线，明天大盘有向下突破盘整平台的危险。我这边两处几天申报大单后，也留有极少的成交买入筹码，明天上午我会全部处理掉。你那边剩余的筹码，在跌停之内的价格出掉都行。但一定要记住，跌停的话，你那边的筹码也要排在跌停价上最前面排队。懂了吗？手脚一定要快。"云在天一改以往的轻松。

"知道了。就是跌停价也要我们砸出来，这样时间优先，即使有博反弹资金进去也是先成交我们的卖出盘。"小吉道。

"对！最后的减仓当然不能拖泥带水了。坚持最后一天吧，明天筹码出尽了你也可以放假休息一阵了。明天我处理完这两边的零星筹码后就去你那。"云在天以缓和的语气结束了通话。

周五，云在天一早分别在小齐和小唐所在的营业部，以压低 3.5% 和 4% 的价格挂出了这几天大单申报买入接下的少量筹码，他没有等正式开盘后看是不是已经成交，就急忙前往小吉处。

到达小吉处时，时间刚好是 9 点 15 分。"这几百手卖单基本上是我早上刚挂出去的，你先挂张 5000 手的买单进去，涨停价！"云在天吩咐。

9 点 19 分时，云在天又道："撤了吧。"

"我这边就先不集合竞价卖出了，怕没有足够的承接盘，那边的卖单成交不了。"小吉征求云在天意见道。云在天点了点头以示默许。

9 点 25 分，这只股票以下跌 2.5% 开盘。"还好，两边的零星筹码全部以这个开盘价成交了。你报张 1000 手的卖单进去，申报价格嘛，比昨日收盘价下跌 5% 即可。"云在天决定今天主动杀跌出货。

正式交易后，小吉申报的卖单一下把股价砸至下跌 5% 的价格。"还没有全部成交呢！"小吉叹了口气。

"没有什么不舍得的，如果今天大盘拉出长阴来，那我们不跑，其他人也会主动抛售。以下跌 7% 的价位，继续申报 1000 手卖单。"

开盘后一刻钟，云在天连续的千手卖单，把该股打至下跌接近 9%。"先停会。看看有没有人把它拉起来。"云在天看了看还剩余的几千手筹码。

"短线跟风杀跌盘并不多，我们这一停手，股价就慢慢回升了，可也没连续的大单快速拉起股价啊。"小吉目不转睛地盯着盘面道。

云在天打开交易系统，先对着慢慢回翘的股价扔掉几笔小卖单，然后在下跌 6.8% 的位置上挂出了 888 手卖单。

一两分钟后，这 888 手卖单下几个价位，就开始不断积聚起卖单。云在天笑了笑，看了看分时图上已连续两波下探的大盘，再次打开交易软件，迅速撤销了那笔 888 手的卖单。随后，他把所有剩余筹码，一笔砸往跌停价。

在跌停价上方的挡位上零星挂着的买单全部被砸完后，在跌停位置上还剩 3000 多手的卖盘没有成交。云在天看了一分钟不到的盘面后，又迅速把跌停上的卖单撤掉。本来在跌停位置上开始聚集的抛单，见突然有大单撤单，也纷纷手忙脚乱地撤单。跌停上的卖盘迅速减少后，终于被一笔大买单打开跌停，股价迅速回升到下跌 8％ 左右。

云在天看了看大盘，马上又往跌停价上申报了一笔委托卖出单。由于刚打开跌停，在跌停上还有 1000 多手的买单没有撤离，云在天的跌停卖单又成交了 1000 多手。

"就这样吧，现在才交易了半小时，还有三个半小时的交易时间，能卖掉多少是多少了！"云在天看着账户上不足 2000 手的剩余筹码放松了表情。

随着跌停上的卖单越积越多，跌停价上的买盘也开始稀疏起来。

"你下午就可以放假了。这最后一班岗还是我来站完吧。到收盘即便有余量没成交也不打紧了。"中午收市时，云在天见还有 1000 手左右的筹码没有成交，就对小吉说。

小吉走后，云在天盘算了一下这笔操作的总体利润，由于投入基础值较大，从盈利部分再抽取的管理费用已足够支付几人的年度报酬，这一年即便什么都不干，也完成了年度目标。"今年总算开了个好头，如果再像前两年一样惨败的业绩，就真留不住人了。"云在天边看着一波一波回落的大盘，一边感叹。

一天收市后，大盘收出了一根平台向下突破的中阴，网络信息板块在云在天操作的股票死死封住跌停的带动下，纷纷展开杀跌。云在天看了看整个下午排队等成交的仅千余手的卖单剩了几百手还未全部成交，摇了摇头心道：下周一还得有个跌停，这几百手的筹码会放上一段时期了。

第十八章

云在天离开营业部后，先去附近的火车票代售点买了两张当晚的卧铺票。然后又去买了些熟食、面包等食物。

"今天晚上就出发！"云在天一回住处，就对正在厨房烧饭做菜的桐桐说。

"真的啊？我还从来没去过这么远的地方。今天我又在网上收集了很多目的地的资料呢。"桐桐毕竟年轻，平时总略带一股忧郁气息的她，掩饰不住喜悦的心情。

"如果是我一个人去，是不会选择这种丘陵地带的。主要是山势比较平缓，状如馒头宜于攀爬，但植被覆盖率却很高，现在这种天气去比较适宜，减少你的难度。哦，对了，应该买的东西你自己都买好了吧？"

"都买好了，还买了遮阳帽和太阳镜呢。"

"那好。今天晚上9点多的火车，等会儿吃完饭你就整理好需携带的物品。前几天我帮你买了个包。你看看合不合适？"云在天说完去卧室拿出一个崭新的品牌双肩背包递给桐桐。

"呀……真漂亮！"桐桐接过包。

晚上9点多，两人登上了火车，向目的地进发。

"我睡不着啊，聊聊股票吧。"睡在中铺的桐桐在列车发车一个多小时后，坐到了正在下铺躺着听手机音乐的云在天身旁。

"你累不累？我难得放松一次，你就不能说些轻松的话题？"云在天苦笑。

"时刻不忘学习嘛！我问你啊，现在的股市，属于什么市？牛市还是熊市？还是震荡市？"桐桐执拗地问道。

云在天感觉头比簸箕还要大了。"你的书全白看了。很多股票都腰斩了，还能是什么市？虽然近期涨了涨，但你看这个下降通道有没有被扭转？前几天冲过下降通道的上轨，舆论就说是反转了。盘中冲破或者收盘勉强一天站上，那也不能说趋势扭转了吧！只站上一天，就又回落到上轨下方，这是典型的短期诱多陷阱。

今天这个整理平台没能完成再次向上突破，而是选择向下突破，且成交量比前几日横盘整理时放大二成，这是熊市中致命的反抽行情。熊市中的快速强劲反抽，会为下一波杀跌积蓄新的做空动能。熊市中的新低，通常都是抄底资金博反转博不到而反手做空造成的。套在高位的筹码要么早已割肉出局，要么死捂。在很低的位置上，通常都是亏损幅度不大的短线抄底盘止损出局而带来的新的做空力量。"

"那么现在还是熊市了？"桐桐问。

"当然还是熊市。真正的熊市大底，是慢慢走出来的。从个股股价的平均价分布来看，我觉得也还不到最恐慌的时候。虽然绩优蓝筹股的主跌段已经差不多了，但很多板块的泡沫还远未挤干净。现在的市场就是部分板块的风险还会继续释放，这也是市场通常所称的最后一跌。大凡股龄超过 18 年以上的参与者都清楚，最后一跌才是最为残酷的，所有板块及个股品种经过一轮轮反复的"多杀多"恐慌卖出后，熊市末期征兆开始形成，此时"遍地是黄金"。

这个时候，无论是基本面好还是差，因为股价都经过了大幅下跌的挤泡沫行情，所以，即便是边缘化品种，也缺乏了大跌的动能。可以说，在熊市末期即便介入了基本面一般的公司，其未来获利的概率也高于在牛市末期介入基本面最好的公司，这是无数次大小牛熊市不断轮回实际验证出来的，而不是凭空臆想。

但凡这个市场混得越久，对于这种千载难逢的好机会就会越珍惜。但对于刚入市不久或想入市参与的，以及天生性格存在障碍的，当股票整体市盈率、市净率越来越有估值吸引力的时候，由于恐惧的羊群效应，也由于各种舆论充斥的还要跌到哪里哪里的纷杂声音的干扰，在熊市末期也是处于最绝望的时期。股市是对人性立竿见影的'照妖镜'，呵呵，那些在最恐慌时期发誓不再炒股的，往往在以后市场最疯狂时比谁都看多。

"你是不是很坚强?"桐桐若有所思地看着云在天。

"坚强说不上。只是经历得时间久了,柔弱的神经也会被培养成粗线条吧。面对股市的起起落落,特别是暴涨暴跌的折腾,从而导致的账面资金大幅变动,无论是刚入市的还是入了很久的,都会出现不同程度的焦虑和抑郁。如何消除?那就是需要分散对股市的关注度。这有很多种方式,我的调节方式是看各种类型的书,增加知识的同时还能解压。不过也不是都适用,以前有个师兄,长期交易后患上了轻度抑郁症,结果越看书越抑郁,我后来建议他看喜剧,他就看憨豆的片子,反复看,结果你猜怎么着?抑郁症状消失了。"云在天微笑。

"炒股是不是也要看人的运气啊?"桐桐突然低头问道。

"不能说没有。譬如说入市时机吧,在牛市末期介入股市的,肯定是运气最背的,因为什么时候买入都要比疯狂牛市进入末期时买入的成本低。买在最高区间,肯定是'运气'最差的,什么时候都不买,偏偏最高点进去了。而在熊市中期或末期介入的,'运气'肯定是相对最好的,因为成本低廉,别说以后牛市周而复始到来,就是一个级别较大的反弹,也可能收益迅速超过储蓄利息。所以,很多人炒股的成败,基本上取决于入市时机这个'运气'。每次牛市介入的,等下一个牛市再到来,不但时间周期相当难熬,选择的品种也未必会在下一个牛市重新回到上个牛市的历史高位。所以,再过一段时间,市场已经恐慌到没人在谈论股市时,你如果学着炒股了,你的'运气'已经从出手时就奠定了好的开始!"

"那不是有些书上说,择时不如择股吗?只要上市公司质地好,即便买高了,只要长线投资不卖不割肉就好了?"桐桐又问。

"哦?这段时间你看了这么多书本知识,看来还是掌握了一些专业词汇!你要进入A股市场,首先得把这个市场的历史也要研究透彻。从股市开设以来,A股上市公司总的融资额远高于总的分红额,这都是有统计数据的。不少公司分红极其吝啬,但圈起钱来却毫不手软。好公司未必是分红慷慨、融资谨慎的代名词,业绩好但分红回报跟不上,这个也得看其每年的分红平均回报率。如果还赶不上定期储蓄的年利率,那么长线投资,还不如老老实实地存银行来得既省心又安全。"

所谓的择时不如择股,肯定有误导的嫌疑。因为股价和市盈率越低,股权回报率就越高;股价和市盈率越高,股权回报率肯定越低。这就是为什么一元成本甚至零成本的限售股股份，远远比你流通股股东持股成本低廉，但一旦其股份解禁了，还不稀罕股权的高分红回报率而急于套现的案例大量出现的原因。

在一个融资功能远大于回报功能的市场格局下，择时交易其实也是一种没有办法的"变通"选择。如果都像极其少数企业那样，上市后在资本市场的分红总额已经高于其在资本市场的融资总额，那么市场何愁不理性投资？长线投资真能从上市公司处获得高于融资付出的回报，投机之风肯定会被压制。如果投资之风蔚然成行，处于这样的市场环境下，择时交易自动会被市场淘汰。市场只要还处在融资圈钱之风盛行，回报却不足的畸形状态下，最简单的生存之道就是择时。云在天侃侃而论。

"这也是股市中庄家横行的主要原因之一吧？有实力的资金在二级市场炒，从上市公司那里得不到股权高回报，就只能制造题材拉高股价从小散户手里赚钱对吧？"桐桐严肃地问云在天。

云在天怔了怔，翻了个身后用手往上一指："不早了，明天开始会相当累人的，去睡吧。"

坐了一晚上火车，再换了长途汽车，到达目的地后，已经是次日上午10点。云在天指着不远处层层的青山道："我们这次的目标，就是穿越这一带丘陵。虽然这些山的海拔都不高，但山峰数量不少。初步测算，从这里直线穿越到另一面有市镇的地方，至少得到明天傍晚时分，你作好准备没有？开弓没有回头箭，现在打退堂鼓还来得及。"

"准备好了！出发吧！"桐桐眺望了一下蜿蜒的山路后，深吸一口气。

云在天望着遮天蔽日的繁茂山林。"这个先在衣服遮挡不住的手背和脖子上抹一点。避蚊水。"

"你想得真周到。"桐桐接过后，往颈部手背等部位涂抹起来。

"现在虽然已过盛夏，但却是蚊子最猖獗的时候，它们无孔不入，只要有露在外面的皮肤就有机可乘。山里的蚊子特别厉害，一咬一个大包。等会儿被汗水冲淡了还得不断抹。"云在天说完拿出指北针和网上打印的地图开始往最近的山路走去。

"现在你还没觉得什么，等会儿身上的负重会感觉越来越吃力。"

"吃掉一点食物就轻一点了，没事！"桐桐快速超过云在天后扭头笑着说。

"走路要匀速，后面的路长着呢，不能透支体力。"云在天望着离自己越来越远的桐桐喊道。

第十九章

邑城依山傍水，水路和陆路交通四通八达。虽然城市规模不大，却紧邻省会城市，且私营经济发达，商贸繁荣。富足中又没有大城市的喧闹和浮躁，属于比较理想的宜居城市。

邑城南面有一个规模不大不小的湖，不仅对公众开放，临湖还建起了不少高级疗养会所，所有的会所中，以建在湖中有突出状陆地的金湖会员制俱乐部最为奢侈豪华。金湖俱乐部就像一个展翅的玻璃巨鸟一般，在湖滨突出至湖中的陆地上显得更是鹤立鸡群。

在玻璃建筑物的周围，是围绕着建筑构筑起的观湖平台。平台临水而建，上面错落有致地摆放着茶水桌椅和一顶顶足以遮阳挡雨的遮阳伞。

一个头发已有些花白、肤色较黑的精瘦中年男子，正坐在湖边悠闲地垂钓。

"石董，K银行的一把手换人了。您看？"一名戴着金丝边眼镜，头发也已斑白带着浓浓书卷气的中年男子轻声走到垂钓者身边道。

"哦，老刘，他有什么爱好？我是听到点风声了，没想到李行长走得这么快。你坐。"垂钓者静静看着湖面。

"李行长调到了省行，日后虽然也还能说上话，可总不如现管。听说新调来的，喜欢个艺术调调，写得一手好书法，其他的爱好，还没能打听清楚。"老刘在垂钓者身边拿了把椅子坐了下来。

垂钓者点了点头道："还没和下属打成一片嘛，下面的人当然不可能了解透彻。既然喜欢写字，那就先投其所好的投石问路一下。你找他们弄个明清的砚台，或者弄套明清的御墨、和田玉的笔洗之类都行，价格不需要很昂贵，但一定要真品。字写得好，或许对文房雅玩这方面也有很深的研究。我们先搭搭脉。"

"这个行。我找他们信贷部的引荐一下。他新来，应该不会太端架子。"老刘道。

"有人落水了。"不远处的湖岸边有人大喊。

正在遮阳伞下低头谈论的这两个人，闻声后一起望向有人高喊的湖岸边。只见有人正在水中挣扎。

"那地方虽然是岸边，却没有缓冲的堤岸，水很深。不行，得去救人。"垂钓者边说边脱掉了身上的雨衣式风衣。

"石董，您就别下水了，我水性也不好，在水里就只能顾自己。叫小五来吧。"老刘急忙劝阻垂钓者。

"他那体格，在水里不灵活。我水性好，你别拦着了。等会把衣服和鞋送过来。"垂钓者说完，迅速一头扎入湖中。

湖岸边看热闹的人越聚越多，但却没有一个跳入湖中救人。垂钓者以与年龄并不相称的速度游到了落水者身边，用标准的救人姿势一手钩住落水者的脖子，一手奋力向湖岸边游去。

"大家不要挤在这，拜托谁能去找根竹竿来?"垂钓者大声对湖岸边的看客们喊道。

人群往后退了退，有数人开始四处寻找竹竿之类的东西。"皮带也行，几条绑一起。"垂钓者虽然水性极好，但高高的湖岸显然无法拖着一个落水的人轻易爬上去。

人群中有人应声。很快，几根绑在一起的皮带甩向垂钓者。垂钓者握紧皮带一头后道："大家一起用力拉。"在几个青壮年的努力下，垂钓者总算把落水者救上了湖堤。

"还是个姑娘。""你知道怎么落水的吗? 不会是自杀吧?"围在湖岸边的人七嘴八舌地议论开来。

垂钓者把落水者仰天放平后，见是个年轻的女孩，迟疑了下，还是做起了压胸式的人工呼吸。坚持了一会儿，见女孩没有苏醒的迹象，垂钓者明显开始焦虑起来，一手平摊在女孩胸前，一手握成拳状开始用力敲击起

来。当敲到第六下时，落水女孩突然喷出一口水来，头也动了动。

垂钓者松了口气。"石董，您真了不起。"老刘此时已满头大汗地赶了过来，跟在后面还有个肩宽胸厚，同样气喘吁吁的大个子。

"小五，快，帮我把她扶起来。"垂钓者吩咐老刘身后的大汉。

"是，老板。"小五说完把瘦弱的女孩一下就扶了起来。垂钓者帮着在落水女孩的背部拍着，但好像效果并不好。"把她整个倒提起来，能做到?"垂钓者望着小五。

"老板，这个简单。"身高马大的小五胸有成竹。

落水女孩被倒提起来后，马上又呛出了几口水，人也开始颤抖起来。

"这就行了。把她放下，小五你快把车开到堤口等着去。这里离金湖医院不远，叫急救车肯定比我们自己送去慢。"垂钓者舒了口气。

"老板，我来背吧。怎么能让您背?"小五急道。

"甭废话，叫你去你就去。"垂钓者说完穿好老刘递上来的鞋，背起落水女孩朝堤口快步走去。

把落水女孩放上车后，垂钓者对老刘道："你和小五去一趟吧。我马上给张院长打个电话。我这得换身衣服去。""您放心，赶紧回去换身衣服，这天气容易感冒。"老刘说完示意小五快开车。

但垂钓者又喊住小五，在他耳边轻语道："等会儿如果有记者去医院采访，你就接受采访，别把我抖出来，这对金湖俱乐部有大大的好处。现在富人客户吃这套，你的形象光辉了，广告形象就不言而喻。行了，走吧。"

垂钓者一边捋着湿漉漉的头发，一边打了个电话。"王大记者，我是石俭。刚在金湖发生了一起见义勇为的事。现在落水者正被送往金湖医院，你可以去报道一下，媒体还是应该弘扬一下主旋律嘛……你儿子的工作? 我这正帮你找朋友帮忙呢，肯定没问题。好好，那就这样。"

石俭在金湖俱乐部自己的套房里冲了个热水澡，然后换了衣服，便驾车回公司。

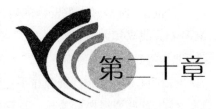

第二十章

荆石资本总部位于一幢灰色的极不起眼的建筑内。这幢 3 层建筑已很有些年头。从外观上看，低调得甚至有些落魄感，和周围林立的高楼相比，显得格格不入。谁也不会想到，这幢毫不起眼的建筑里，隐藏着这样一家在资本市场呼风唤雨的超级大鳄。

石俭的办公室在顶楼。董事长室的布置可以用寒酸来形容，几排木质的简易书橱，一张已有些年头的大老板台，一对皮沙发加一个茶几，几只折叠椅，一个铁皮资料柜和一个木质的小酒柜就是所有的家当。没用高级墙纸装饰的白墙上，有幅写得中规中矩的"如履薄冰"的楷书书法。房间内唯一显得有些奢侈的摆设，就是一尊用玻璃罩子严密保护好的木制彩塑财神雕像，足有半人高的塑像上色彩斑驳，显然是件有些年代的造像精品。当石俭刚坐稳在他那宽大的但有些陈旧的大皮椅上时，办公桌上的电话就响了。

"石董你回来了？南方那家上市公司的董事长亲自过来和我们谈重组的事，你看这事由谁接待比较合适？"

"岚卉，这事你就不用出面了。让大海去应付一下就行。这个壳我根本没什么兴趣，我虽然被人称作'垃圾王'，却也不是什么垃圾都捡，有些货是永远捡不得的。不过见还是要见，也不能过于怠慢，我们手上还有几百万股他们公司的筹码，今天让大海多忽悠忽悠，先拖住他们一两天。晚上风就会放出去，这市场消息灵通人士不少，周一看看股市上的反应再

说。我这刚有人送了瓶不错的红酒，你过来品几口？"石俭边说边打开这家急切期盼通过资产重组能起死回生的巨亏公司 K 线图。

"不了。手头上没完成的事多着呢，很多文件要处理。星期六还要加班，整个人都卖给你了。"电话那头轻轻叹息。

"你就一没事做心就发慌的脾气，应该感谢我给你找了这么多事来消磨时光。我先和大海交代一下。"石俭露出笑容道。

"大海，晚上你为南方那家公司的老总接风洗尘。我们在云南不是有几个探矿权和一个矿产资源在手里吗？晚饭时你有意无意地透一下，让他们对注入这些资产燃起希望，点到即止就行了，这个你有数。明天带他们四处去观光一下。辛苦你了，周末还被公司的事占着。

好，好，多留几天也没关系，如果他们闭紧嘴巴不透露半点风声出去，那就由我们来透。对，周一上午我看了市场表现再说。"石俭放下电话后看了看时间，差不多快 5 点了。

"周经理，我定一笼大闸蟹，雄蟹为主，要最好的品种。你蒸好后派人送我公司来吧，208 室，麻烦你了。"石俭挂了个电话后又坐了会儿，从酒柜中拿了瓶红酒，然后起身往 2 楼走去。

他慢慢踱到 208 室门口后，轻轻叩了下门。

"请进。"门内传来一声婉转的莺声燕语。

石俭轻轻推开门。"还在忙哪？"

"是啊，你还没走？我今天看来又要干到很晚才回去。"岚卉急促从办公桌上堆积如山的文件后抬起头看了眼石俭后，又埋头看起文件来。

"是在研究那桩股权收购的法律文书？"石俭在岚卉办公桌前的椅子上坐了下来。

"这可是我接手的第一个实际并购案例，以前大都做的刑事诉讼，经济方面的并不擅长，学的也只是书面上的知识，没什么实际操作经验。到你这来，以前每天接触的东西都没了用武之地，得恶补才行。"岚卉似笑非笑地瞟了眼石俭。

"你能放弃以前的事业，来我们公司专职做顾问，是我们公司巨大的财富。在事务所做下去，以后可能成为某个专业领域的'大律师'，但在我们公司做，就可能一直默默无闻下去。你觉得值不值得？"石俭说完拍了拍案头大量的资料文件。

"我妈早就说过，我这个人做事就是随性。从小爱看侦探书，长大后就立志做个侦探，结果侦探没做成，但离犯罪案件还是很近。不说这个了，你没事就回去吧，我现在没时间和你闲聊瞎掰。"岚卉故作严肃。

在资本市场搅起无数大浪的石俭，此时竟然毫没动气的反应。笑了笑道："聪明的人都懂得劳逸结合，人是铁、饭是钢。先吃晚饭。"

"刚不是说了？不想出去吃，我等会儿叫外卖。"

"今天你自愿加班，楼下食堂又休息，所以我叫了点东西，你随便吃点。"石俭看了下手表。

就在这时，石俭叫的蒸蟹送到了。石俭亲手把食用蒸蟹的调料配好，"我知道你最爱吃蟹膏，所以点的雄蟹多些。你不喝黄酒，虽然吃蟹喝黄酒好一些。我给你拿了瓶红的，趁热吃。那我回了。"

岚卉提起蒸盖看了下后皱眉道："这么多？我一个人怎么吃？买都买来了，一起吃吧。"

"你知道我胃不好，这东西寒，没这口福，不敢碰。"石俭说完后带上门离开了公司。

开车途中，石俭的手机响了。"老刘，那姑娘没事吧？"

"我这正要向您汇报呢。小姑娘没什么事，已经清醒了。医生说明天就能出院。她随身也没带包，身份证是有，外地的，我也不清楚是在我们这常住还是来旅游的，反正问她什么一概都不开口。看这情形不像是失足落水的。我问了她半天话，她就只说想见见救她的人，然后就闭紧了嘴再也不吐一个字。"老刘把大致的情况说了下。

"先请个护工照料一下，你先回去休息吧。我现在过去恐怕不方便，明天上午我去医院看看情况再说。"石俭道。

次日上午，石俭来到医院。找到病房后，看到靠窗病床上的落水女孩。"没事了吧？听说你想见我？"

病床上的落水女孩约莫二十岁左右，洋溢着青春的脸上却有一股浓浓的化不开的愁结。她盯着石俭望了一会儿，好像是要把他牢牢记在脑海中，然后略带羞涩地轻轻说了声："昨天谢谢您了。"说着就把头望向窗外。

石俭搬了把椅子坐到女孩身边。"有什么事不顺心？和我说说？我女儿和你差不多大。"

"昨天我钱包被人偷了，身上一分钱也没有。一时想不开就……我来这儿是找工作的，工作还没找到，钱也没了，想回老家也回不去。"女孩回转头看了眼石俭。

"就这点事？现在救助措施已经很完善了，没钱买回家的车票，不是大问题。年纪轻轻何必轻生？"

石俭略略摇了摇头后，想了想又道："听你普通话倒是说得字正腔圆，不带口音。这样吧，如果你对工资要求待遇不高，我可以安排你个接待员的工作。另外，职工公寓也是有的。"

"我对工资没多少要求，如果解决了住宿问题，工资高不高就更没关系了。这里租房住可真贵。"女孩一直拧着的眉结终于有点舒展开来。

"那就这么着吧。我等会儿让人帮你都安排一下。这几天你就可以上班，不过要先实习一阵子，跟前辈多学学。"石俭站起身道。女孩见他有走的意思，马上准备从床上爬起来。"你就躺着吧。以后可别干这种傻事了。"

石俭走出病房后，马上给公司主管人事行政的人打了个电话，交代了女孩住宿和上班报到的事。

周一，证券市场又开始了新的一周的交易。

南方这家＊ST股集合竞价开盘后便被巨额买单托在了5%的涨停价位上。

"石董，南方这家公司的董事长想见见您，让我务必安排个会面时间。"巫大海向石俭汇报道。

石俭此时正在他那宽大的办公室里看着股票交易行情。

"我正在看这家公司的交易情况。看来风声是被他们中的人透露出去了。我估计他们的高管在和我们谈重组的事之前，已经通过各种账户买了不少自家的股票，或者把这种重要信息透露给其他实力资金，这次无论重组成功与否，他们自个儿的腰包是准肥了。你就说我这几天有重要的事分不开身，继续和他们谈着，诸如他们公司如何剥离巨亏业务，给我们什么价格买入锁定的股份等，先谈着。我们这边货出完了，你的任务也就完成了。"

"我有数了。可这每天5%的涨跌幅限制，连续三个涨停需公告等限制，要想翻倍出来，也不是几天的事。总不能老拖着他们吧？"巫大海又问。

"你就自行决定设计一个意向性的计划，然后说我们还要开会研究，过几天他们自己会回去。这次几个重要高管都来了，公司那么一大摊子事还是要运作的，留不长。我们的目的已经达到了，他们自个的目的也达到了，至于公司是否真能重组成功，我看他们未必那么放在心上。你也知道，这股每天的成交量都很小，我们的筹码吃了几个月才买到几百万股。今天这种巨额买单，一字涨停式的拔高建仓，说明他们底仓可能也不多，未来的涨幅不会小，你就等着看好儿吧。另外，那只我们已经实际介入的公司股票，由于消息已经被市场消化，在高位接盘的资金寥寥无几，我正愁出不了货，这次准能借这股'东风'兑现大笔的资金出来。"石俭胸有成竹道。

石俭挂断巫大海的电话后，用手机拨通了一个电话。"你那的所有账号都停止买入5号股票，具体的卖出时间到时会通知你们。3号股票的筹码已经清洗了一段时间，今天可以借助5号股票的朦胧消息，开始往上做高股价了。边拉边撤，卖得不要太急。"

他挂断电话后，刚在电话指令里的3号股票就出现了一波猛烈的大单对敲拉升行情。

第二十一章

深夜的夏末，山谷中，虫鸣声和溪流边的蛙鸣声时而交织在一起，就像一曲繁复而清幽的奏鸣曲一般。

在一处空旷的山谷中，溪流边支起了一坐漂亮的帐篷，这是云在天花了不小的价格买来的品牌产品，空间足以容纳两人休息。

"看，那边有成群的萤火虫在飞舞，我能去捉几个玩儿吗？"桐桐凑着帐篷的细小网眼状透气窗边向外四处看着，边问已躺着休息的云在天。

"还像个小孩子一样。溪水边有萤火虫一点不奇怪。捕捉很费劲，又没有纱布，还得制作一个网兜，这前不着村后不搭店的，黑灯瞎火万一扭伤脚可麻烦了。早点睡吧，明天还得继续走山路。"云在天拉了一下兴奋地望着帐篷外的桐桐，示意她老实睡觉。

"不嘛，我要捉几个，放在玻璃瓶里，那才叫好看呢。小时候，我爸经常捉了好多萤火虫放在玻璃瓶中，我晚上睡觉时就放在枕头边。"桐桐低声道。

云在天见劝她不听，想了想，翻身坐起来，在旅行包中翻了起来。

"师傅，你找什么？肚子又饿了？吃的东西都在我那包里呢，我来。"桐桐见云在天低着头一声不吭翻着包，便离开透气窗，也在包里翻了起来。

"不饿。我这不是找材料抓虫嘛。纱布倒是有，不过比较窄，是医用纱布。"云在天翻找了半天，拿着一卷医用纱布和一个铁丝材料的简易衣架思索了会，开始制作起简易的网兜来。

"师傅你真好。"桐桐轻轻拍了几下手，突然在云在天的脸颊上亲了一口。

"别闹，我们这次出来应该没有携带玻璃瓶吧?"云在天先用针线包里的缝衣针和线把条状的医用纱布缝成块状，然后缝在折成网兜状的铁丝上。

"呀，你不说我还没想到呢。真没玻璃瓶。"桐桐在两个大旅行背包中翻了个遍后道。

"就用矿泉水瓶凑合吧，喏，把这商标撕下来。"云在天说完，把已经弄好的网兜随意挥了几下，点点头又说:"这也凑合着用，应该能行。你把手电拿着，我们出去后照着脚下，溪水旁有不少乱石块，不扭到脚最重要。"

两人在溪水边手忙脚乱了半天，好歹捉住了十几只萤火虫装入空矿泉水瓶中。

回到帐篷内后，云在天看了下表便道:"快休息，不然明天会体力不济。"说完倒头便睡。

"知道啦。就是捉得太少了，这瓶子还不够亮堂。算了算了，饶过你啦。"桐桐说完，在云在天身边躺下，把装着萤火虫的瓶子放在两人中间，扳了下云在天的肩头:"你回头看看嘛，多美啊。"

云在天懒得和她说话，也不翻身，自顾自装睡。

"不回头看虫虫，我就裸睡。"桐桐轻声自言自语似的说。

云在天只能翻身，见萤火虫在矿泉水瓶中发出绿色的冷光，映衬着扎着两条小辫的桐桐的可爱脸蛋，煞是好看，不由心神一荡。

当云在天和桐桐刚走出连绵起伏的丘陵地带时，云在天打开了手机。一开机，就有数十个未接来电显示和短信。

云在天一看，绝大多数是小齐他们打来的。

"小齐，有什么事?"云在天拨了个电话给小齐。

"头儿，出事了。我这边的两个账户被暂停交易了。说是交易过于频繁，有虚假申报等操纵嫌疑。券商那边让我最近其他的账户也都别交易了，可能我这边的账户都被列入交易系统的监控名单中了。本来我在外地休假，现在连夜赶回来了。您说怎么办?"小齐的语气显得非常慌

乱不安。

"其他账户最近也不会交易了。我马上赶回去，你不用担心，证券公司你最近不用去了。剩下的事我来应付。"云在天关照过小齐后，马上又分别挂电话给小吉和小唐。他们已得知小齐那边的事，但自己管理的账户未被暂停交易，也没有接到谈话提醒的警告。

"出什么事了？"跟在云在天身后的桐桐问道。

"哦，一点业务上的小事。不过我们现在就得回去了。你觉得这次徒步旅行有什么意义没有？"云在天回头看了眼桐桐道。

"在这样静的环境下，适合思考。同时，身体上的疲惫能锻炼人的意志力。还是很有收获的。"桐桐道。

"不错，有这样的心得说明这次没白带你出来。无论股市还是人生，就像这爬山一般，有上坡路也有下坡路，我们就是在这样不断的上与下之间，逐渐成熟起来。"云在天点了点头道。

回城后，云在天给小齐负责操作交易账户的营业部经理打了个电话，想具体咨询下被暂停交易账户的事。

"文经理，有什么重要的信息可以透露一下？我们贡献了这么多交易量，别的营业部不选非选你的地方，这就把账户随便冻结了，不地道吧？"云在天用比较生气的口气说道。

"啊呀，云兄啊，这和我们营业部可没一点儿关系。我们也是奉命行事罢了，最近又开始管得严了。你看，这一波个股行情有模有样的，激活了大盘不说，我们营业部的日子也比以前好过起来，你说谁不想市场活跃起来？我听说很多大户都被盯住了，这次暂停交易的账户有一批。你在我这边的账户，主要是有虚假申报的嫌疑，但好像当日连续申报买入或者卖出并在成交前撤回申报，撤回申报量占当日该种股票总申报量又不到50%，所以先暂停交易作为警告。下一步，就是不知道交易所监管部会不会把你这几个账户上报，如果上报到监管层，那就可能会派稽查人员过来调查。你要做好思想准备。这个我们一点儿忙都帮不上。"营业部经理道。

"走一步看一步吧。"云在天此刻才感到事情可能会很棘手。

"小唐，我这几天准备把你和小吉几处的账户和资金先化整为零地撤出这个城市，小齐那边的两个被冻结账户，都是委托型资管账户，实际控制人并不是我们，我们只是代为操作而已，这比实际控制人操纵的处罚难度肯定要大。首先我们只是从盈利部分收取一定比例的提成。即便是没收非法所得或者罚点款，以我们所得来说，也在一个所能承受的范围内。这次我留了一个心眼，虚假申报所使用的账户都是委托型资管账户，即便最后追查到是以我为主在管理操作，因为我本人的股票账户上本来就没钱，这次更没操作过一笔，所以我估计最终不会超过罚款这个惩戒力度。每次也不过是抓几个典型案例出来教育一下市场，从没铺开来大范围查处的。"云在天一边考虑一边道。

"我觉得你还是不要把事都顶下来，日后你还要继续做我们的头儿。我去和小齐小吉他们两个商量一下，我们把这事接下来，你依然隐藏在后面更妥。"小唐道。

云在天心里一阵温暖，随即摇了摇头道："虽然这两个资管账户不落我的签名，但还有其他几个账户也在那营业部里，那几个账户的文件都是我落的签名和印鉴。真要追查起来，我是脱不了干系的。没收所得加罚款，我刚计算了一下，在可承受范围内。如果那是最坏的结果，我们这次操作也算成功了。就这样了，你们开始为到下一个城市做准备吧。我明天先去营业部了解一下具体情况。"

云在天坐在书房中思考了一整夜，桐桐见云在天一直沉默着想事，也没打扰他。

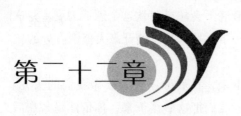

第二十二章

　　第二天，云在天一早来到小齐所在的营业部。

　　在营业部经理的办公室，云在天还没坐稳，文姓经理就一脸愁苦状道："稽查总队的调查人员正在路上，今天就会来调阅账户资料。云兄你要不要先避避？"

　　"不避了，我今天来就是主动接受调查的。那两个账户的委托人肯定还不知道这事儿吧？我来把事说清了，到时有了调查结果，也不至于把他们的名字透露到媒体上去。做事还是得有个原则。你这有好茶叶没有？"云在天说完做了个口渴的动作。

　　"有有。"文姓经理连忙张罗着去泡茶。

　　难熬的上午过去后，云在天在营业部吃了点盒饭。下午刚开市，文姓经理办公桌上的电话便急促响起。云在天脸部的肌肉不由绷紧起来。

　　文姓经理看了眼云在天，拿起话筒。

　　"他们来了，在接待室。要不你和我一起过去？"

　　"也行。今天就是来主动交代问题的。"云在天此时已放下包袱，起身跟在经理身后往接待室走去。

　　唐瑭早晨起床后突然一阵心悸，接着开始眼皮跳。她自言自语道："今天可真邪了，不会出什么事吧？"一边念叨着，一边开始打云在天的手机，可云在天的手机始终处于关机状态。

　　唐瑭想来想去觉得不放心，草草热了杯牛奶吃了片吐司后，便急匆匆赶往小齐所在的证券营业部。

　　她先来到小齐平时的操作室，可房里没人，又找到经理室，还是找不到云在天的踪迹。她走出经理室后刚巧碰到一个平时见过的客户经理，连忙叫住后问道："文经理在吗？我找他有事。"

　　那名客户经理四下看了看后轻声道："上面来调查组了，在接待室了解情况呢。这几天交易所暂停了我们这边几个客户的账户交易。"唐瑭问明了接待室的方位，然后慢慢走了过去。

　　"会不会他正在接受调查？这可怎么办？"唐瑭一边揣测，一边看着紧闭的接待室。发了会儿呆，她六神无主地在接待室外的沙发上坐了下来，随手拿起一本证券杂志翻了翻，可怎么也集中不起精神来。不知过了多久，接待室的门开了，云在天一脸故作轻松的样子走了出来。

　　唐瑭猛地站起来，几乎是冲过去似的拉住云在天的手臂道："怎么样了？"

　　"我们出去找个地方慢慢说。"云在天低语道。

　　在证券公司附近找了家咖啡馆坐定后，云在天长长吐了口气："我看他们不会继续深究下去了。交易所对这家营业部所有交易这只股票的账户明细，都有详细记录可供稽查人员查阅。起先我积极承认了那两个资管账户实际管理的人是我，他们表现得很惊讶，说以往即便花费很大工夫查到实际操作人或控制人，也得不到积极配合。我就对他们坦言，管理别人的账户，出了这种事，自己负全责，我主动向他们说明情况，就是为了保护这两个账户所有人的隐私不外传。他们征询了营业部经理，文经理确认了这两个账户所有人从未来过营业部，都是由我代为管理。他们稽查的人员从那份交易记录中又勾出几个交易量较大的账户，说这几个账户也存在异常交易的情况，然后盯着我看。"

　　"你都说了？"唐瑭握住云在天的手道。

　　"我接过那份记录，看到勾出来的都是我们自有资金的账号。我脑中瞬间闪了很多念头，但权衡了一下，这几个账号资金调度都是用我的签名，我不说，他们马上向文经理调阅有关文件出来，一查什么都'曝光'了。与其让他们主动，还不如我主动，于是我马上就回答他们说都是。"云在天把手轻轻从唐瑭的手中抽出后道。

　　唐瑭一时不知该如何回答才好。

　　"你是不是觉得我很尿？其实我已作好了坦白从严的准备。这事既然

被盯上了，就不会轻易脱开身。我所期望的是丢卒保车，牺牲这个营业部的所有账户，保住其他营业部暂时没被关注的账户。我想他们也是找一两个比较明显的账户出来，震慑一下市场的操纵行为。从目前阶段看，那两个资管账户由于非资金所有人操控，且我们还未从利润中提成，受到处罚的可能性极小。主要就是由我实际控制的几个账户，肯定会处理。具体的处理意见，他们让我等待调查结果出来。"云在天喝了口咖啡后又道："真苦，连糖都忘记放了。"

"那其他营业部的资金要不要撤出？"唐瑭问道。

"先不动了，这么大的动作，隐蔽性是难以保证的。我们现在只能听天由命，主动权不在我们手中。捕了蝉，忘了后面还有黄雀。以后真得改变这种操作模式了，从长庄模式到短线操纵模式，路一步步地都被堵死了。看来还得寻找新的模式，生存本来就是严酷的。实在没饭吃了，得去基金混饭吃。那里旱涝保收，即便亏掉一半净值也能有远高于社会平均薪资的收入，只要不玩老鼠仓就行。"云在天自嘲地笑了起来。

"你去哪我就去哪。"唐瑭忽然温柔地看着云在天道。

"你说我们做这行的，都没个保障。你跟着我有什么好？以前就是想赚快钱，然后捞个几年就投资实业去或者什么都不干，找个偏僻的地方种种花养养鱼什么的。现在出了这么挡子以后能成'经典教材'的事，姑且不论处罚是什么力度，以后谁还敢找我这个'著名人物'进行运作？明星出了点负面新闻，说不定能更火。做我们这行的，基本就结束了一大半职业生涯了。如果最终其他的账户都没被他们挖出来，那么这件事告一段落后，大家就把钱分一分。这些年的辛苦，你虽不能说成一小富婆，也远比在其他行业做好许多了。你们这几个经过这么多年的搏杀，大的我不敢说，凭经验吃饭，每年赚点糊口钱是没问题的。"云在天望着窗外匆匆而过的行人。

"怎么说这么灰心丧气的话呢？大熊市都挺过来几轮了，这点事儿算什么？"

"像我这样的人，没什么特殊爱好，做事也不张扬，更不喜欢抛头露面活跃在媒体上作秀炒作，平淡得就跟杯白开水一样。要是有人要写篇人物刻画之类的习作，拿我做描写的对象，恐怕绞尽脑汁也写不出一句出彩的句子。就是这样一个极度枯燥乏味、低调行事的人，还能被深挖出来，看来运气真是够好的。"

"做人低调，可做盘无法低调是吧？要不我们试试做点小生意？我早就想开家服装店，那种加盟店不用怎么操心进货渠道，都是统一配送。你觉得怎样？"唐瑭道。

"都是给房东或二房东、三房东这类人做房租吧？那还不如直接买套商铺下来吃租金轻松。"

"也行啊，只不过那就没事可干了。做点实体的生意可以消磨时光。"唐瑭道。

"做了股票，想转行都难！经不起那诱惑。你看熊市里都喊着从此不进股市了，可市场一转暖，就又都跃跃欲试了。如果持续转牛，以前的誓言绝对都抛在脑后。这是人性的弱点，明知是弱点但还是极少有人能克服。你把钱都投到不动产或者实体中去，如果大牛市来了，你会不会无动于衷？会不会再去变现后重新返回这个市场？"云在天笑着对唐瑭道。

"这也不是，那也不是，那你以后有什么打算？"唐瑭瞪了眼云在天。

"以后的事以后再说，先看这件事的结果。我现在唯一想干的事，就是休息，足不出户地静养几天，这几天没事的话，你们都不要来打扰我，我要想些事。"

"那好吧。这样也好。本来想和你一起吃晚饭，看你这状态，吃什么都不会香。现在就等最终的处理结果出来吧。"

云在天回到住所时，桐桐正在厨房忙活。云在天直接走到书房，打开电脑看起新闻来。

"你回来啦？前几天我们尽啃些面包饼干了，今天我弄了很多菜，我们改善下伙食。"桐桐精力充沛地道。

云在天看了她一眼，心中想，真是"少年不知愁滋味"。

"哦，今天没什么胃口，你别弄许多菜了，对付着填饱肚子就行。"云在天懒散地半躺在皮转椅上，一边漫无目的地滚动着鼠标滑轮。

"你这两天有什么心事吧？好像没什么精神，有什么不高兴的事吗？"桐桐夸张地把头凑到云在天的眼前，瞪大眼睛瞧着他。

"乘这几天我很空闲，明天开始你可以模拟操作了，有没有兴趣？"云在天把桐桐靠近自己的头推开后道。

"那太好了。你帮我做参谋吗？"桐桐问。

"适当点拨下是可以的。首先你要知道股票的操作周期。一般分为长线持有、波段交易、短线交易等操作模式，只有适合自身的能够获取收益的模式或者说适应市场当时环境的应对交易模式，才是最好的模式。譬如说长线投资，历史多次证明，长线交易并非适合任何人。如果买入的公司没有长久的持续发展潜力，上市只为圈钱，那么这种股票是否值得长线持有？机械地套用长期投资的理论，难道高位持有的绩差甚至亏损公司要等其濒临退市面临摘牌窘境而不为所动？股市的规模是不断增长的，上轮牛市买入的品种，很多到下轮牛市指数创新高了，个股却未必能回到以前的历史高位，更不用说期间出现的其他大量好公司的投资机会了。所以长线投资模式也得看具体的持有品种，不能一概而论。而波段交易及短线交易，能够战胜长线持有模式的例子也不胜枚举，只要懂得间歇和休息，看准机会再出击的，积小利而成大利，也同样是好模式。从目前的市场情况来看，选择波段交易和超短线交易结合的模式较为适合。先吃饭，吃了饭再说。"云在天起身说道。

吃完饭后，桐桐把饭碗收了放到厨房水池里，也不洗，就对云在天道："师傅，上课了。"

"你看，现在大盘初步扭转了下降趋势，这个下降通道慢慢开始走平，指数开始构筑一个波动幅度不大的震荡箱体。在这种平衡市状况下，个股还是有些行情的，各类套牢的主力资金会借此机会加大个股的操作，从而积极摊低持股成本，这就给小资金寻找短线机会提供了差价套利的空间。"云在天打开大盘K线图后，用鼠标把最近的震荡箱体圈出来给桐桐看。

"箱体内个股在箱底至箱顶的运行过程，就构成一个个波峰浪底。在选择标的品种上，要尽量选择小市值股票和低价总市值不大的股票。你看，这涨幅靠前的有什么特点？一是低价，一是小盘。"云在天把当日两市涨幅榜第一页打开后道。

"为什么呢？"桐桐看着涨幅榜上的股票，然后一个个轻声念着名称。

"因为平衡市是整体多空力量比较均衡的表现，这种市况往往总成交额不大，市场有限的资金不足以推动大市值股、高价股，只能自我收缩战线，集中优势资金进行小市值股的操作。"云在天道。

"你看，这几只涨幅靠前的股票，BOLL指标上，有的靠近上轨，有的已经穿过上轨，这对小资金求稳的操作而言，就不应再去追涨了。平衡市中，

BOLL上轨不追入，BOLL下轨不卖出是需要知道，而布林线中轨则是短期运行方向的强弱分界岭。你选择短线买入，就要选择那些已回到BOLL下轨的，然后结合MACD指标，看它在BOLL下轨处是否处于短期底背离的状况，然后再看SKD指标是否也已在低位钝化后开始勾头向上。符合以上这些情况的，可以出手博些短线差价。当然，在市场还属于存量资金操作的背景下，前提还是品种的市值不能大。不然，就算这些指标符合短线买入要求，也可能由于市值太大而'弹不起'、'弹不高'。一旦牛市来临，由于资金供应充足，蓝筹股也会弹得起，甚至弹得很高，关键是看市场的资金供求。我说的这些都比较抽象，明天你开始模拟操作后，才能真实地体会到股价的波动。"云在天一一把几个自己常用的指标打开给桐桐看。

桐桐一边在纸上记下了这几个指标，一边问道："如何知道股票的市值大小？"

"很简单，打开这个F10的个股资料，里面都有详细的资料，每个软件里的分类栏目都不同，但在分类栏里都能快速找到该股的总股本和目前流通股本。你主要看目前流通股本，然后简单乘以它的现价，就是当时的流通市值。全流通后，一到两个亿的流通股本再加上低价，就都算小市值股了。"云在天道。

"哦，那要查一只股票里以前都有谁交易过，能查到吗？"桐桐移动着鼠标打开一个个F10里的分类信息问道。

"那就到'前十大股东'或'前十名无限售条件股东'里找吧。一般历史都能追溯到几年前。不过你做短线看这个用处不大，一是'十大股东'长期呈快速变化的状态。有些这个季度还是'十大股东'之一，到下一个季度就在'十大股东'里完全消失了；一是'十大股东'中的流通股中的机构未必是最有实力的控盘主力，这个你一定要记住，浮在表面上的，未必就是最有实力，可以左右股价的。"

"嗯，我都记下了。等会我研究研究明天买什么股。"桐桐紧盯"股东进出"一栏道。

"这个你不用多研究，这么盯着看，想把电脑屏幕看穿吗？"云在天见桐桐整个人都把屏幕给挡住了，站起身道："我先去你那房打个盹，你慢慢研究。今晚睡觉前先找几个目标出来，明天我看看。"

"哦，去吧去吧。"桐桐还是紧盯着"股东进出"一栏发着呆。

第二十三章

这个盹，云在天一打就打了两个多小时。

揉了揉睡眼惺忪的双眼，云在天心中一阵悲凉。以前吃完饭，都是精神抖擞地看盘和研究资料到深夜，今天整个人都松了下来，竟然像猪一样吃了就睡。

"师傅，你说我是选一只股集中买卖还是分散到几只股买卖？我看书上说，不要把鸡蛋放在一个篮子里。"桐桐看着头发乱蓬蓬的云在天问道。

云在天打了个哈欠，"无论是把鸡蛋放在同一篮子，还是把鸡蛋放在不同篮子里，决定不让蛋碎的不是篮子的数量，而是篮子是否结实。如果把蛋放在一个篮子里，碰巧这只篮子快腐烂了或者外表装饰得很好，但质量有问题，那么这篮蛋全放在里面不是很危险了？同样的道理，把鸡蛋放在不同的篮子里，但如果不幸的是这一批篮子全部是伪劣商品，那么把蛋分散到这些篮里不也是多此一举？不就是从原来放在一只篮里让其面临全军覆没改变成最终的个个击破而已吗？只要有合适的交易标的，就不用去纠结于一只篮子好还是多只篮子好。你现在是模拟交易，先找几只股票出来，然后再具体考虑是集中买还是分散买。"

"师傅你真有才，大道理一套一套的，比我们语文老师强多了。"桐桐做了个上翻白眼，把嘴巴弄成O形、的鬼脸。

"你这表情，晚上在人少的街上用手电筒一照，人就把钱包直接给你了，还用炒股？"云在天看着她调皮的表情，想到最初看到她时那双忧郁和悲伤的眼睛，不由感慨最近这段时间，桐桐已恢复了些少女应有的青春气息。

云在天瞅了眼书桌上一沓用来做草稿用的传真纸，上面空无一字。"还没成果？继续努力，我把碗去洗了，今天免了你的饭后劳动。"

毛手毛脚洗好餐具后，云在天为了不去书房打扰她，只能去卧室开了电视随便看起来。

这电视一年也难得开上几回，平时晚上看盘累了，云在天直接在网上搜电影看或下几盘象棋来娱乐自己。

百无聊赖地看了会新闻，云在天回到书房对桐桐道："要不今天我们换下，你等会看累了，就睡沙发吧？"

"没问题，今天我睡沙发。"桐桐一边翻着交易软件上的个股排列菜单，一边头也不回地做了个 OK 的手势。

"但是……你最好穿着衣服睡。"云在天故意叹了口气说道。想到有次早起急于去卧室衣橱拿替换的衣服，忘了敲门，推开门却见她赤裸地躺在床上，云在天只得赶忙退出房间，关上门后重新敲了敲门，等她慢吞吞穿好衣服开了门再进去拿自己衣服的窘事。

"知道啦。"桐桐回过头望了云在天一眼，黑白分明的双眸，纯真之中略带俏皮。

云在天看着她精神无比集中地紧盯显示屏，心中暗道：从此以后，只要面对显示屏上的行情显示，懊悔、兴奋、恐惧、失望、期待、伤心、迟疑、犹豫、痛苦、快乐、得意、怀疑、绝望、愤怒、抑郁、失落、狂喜等各种感觉就会交织在一起，如影随形跟随着你、折磨着你。直到有一天，你能对这显示屏上出现的任何变化保持淡定之时，也就是修炼到家之时，但换回来的通常是白发的悄悄增多和神经衰弱。

次日。天还蒙蒙亮时，云在天就起了床。他没有晚起的习惯，况且有着心事。

灯光从书房没关严实的门缝中隐隐透出。

云在天轻轻推开门，见书桌上的电脑还都开着，桐桐趴在书桌上睡着了。

他蹑手蹑脚走到书桌旁，见一张纸上写了几个股票的代码。云在天轻轻抱起沉睡的桐桐，把她抱到卧室的床上后盖上被单。

正准备离开房间，只听桐桐呓语道："我要找到你。"

云在天摸了摸头，莫名其妙地回到书房后，先看了下纸上写的几只股票的 K 线图。一边看一边就笑了。这几只股大概是她忙了一晚上精挑细选出来的，其中两只都符合他所说的箱体短线操作条件。

但另外一只品种在底部放出巨量，但股价并未封住涨停，刚从 BOLL 下轨站上 BOLL 中轨，此时股价正处历史最低区间。

云在天觉得有些奇怪，本来在这么低的位置，除了非流通股因为成本低廉而肯定有很大获利空间外，二级市场的持股者都不应有什么获利盘了。他打开个股资料查了下最近几年的分红情况，也未送过一股或资本公积金转增过一股。

他看着昨天这根突兀的巨量中阳，陷入了沉思。"如果是我操作这只品种，能放出这么大的成交量一定是有足够对倒的筹码。既然已经大量持有了流通筹码，在这种历史低位，根本不用放出这么大的量，只需比往常平均成交量稍大一些就能直接打到涨停上去。而且自己在涨停上封一些大单后，并不减仓，那就根本打不开涨停板，完全可以从开盘封到收盘的一字涨停。这只股票放出这么大量而不封涨停，难道还要让散户去顺利跟风成功？要多少给你们多少，这可不是好事，有悖常理。这股的主力肯定还要炸盘，把短线跟风资金全部套住，让他们在更低位恐慌割出，然后吸纳更多筹码。"

"我倒要看看，你今天玩什么花样。如果公司基本面有什么问题，那么昨天看着量跟进去的资金就要遭罪了。"云在天一边自言自语，一边整理了一下凌乱的书桌。起身去看桐桐时，见她睡得正酣。

云在天穿戴整齐后，出门就近找了个吃早茶的地方，然后买了张报纸，消磨起时间来。

一份早报快翻完时，手机响了。云在天一看手机上的号码，是自己住处固定电话号码。

"师傅，你去哪了？快回来吧。我已经起来了，开盘时间马上要到了。"桐桐在电话中急切地说道。

"我就在附近，马上回。"云在天摇了摇头，心道：看来股市又多了一个痴迷者。

云在天回家后，桐桐就递上云在天已经看过的记录着几只股票的纸，随后问道："这几只股票是我花了一晚上时间研究出来的。你帮我参谋下，是每个都买点，还是集中买一个？"

"今天你开始模拟交易的话，初始的虚拟资金就定个 5 万元规模吧。然后你买一笔股票，扣除一笔资金。这个股票你先别碰，这量放得怪异，我估计主力这几天要痛下杀手。"云在天指了指早上研究过的那只异常放量的股票。

"你不是说，底部放量是好事吗？我看它虽然涨了一天，但价格处于你所说的历史底部，成交量又很大，指标也都底部黄金交叉了。我昨晚还为找到这样符合底部放量的股票高兴了好一阵呢，今天却被你一下就推翻否定掉。"桐桐说完皱了皱眉。

"那这样吧，你把 5 万起始资金分成二二一，另外两个股票你各投入 2 万资金，这个股票先投入 1 万资金，看看短期的成绩再说。你现在先计算一下，每个股票的价格不同，你把可以支配的资金除以股价，然后得出每只股票可买的手数，买入价格和时间你自己定。"云在天说着看了看另外两只股票。

"你别指导我买，今天让我自己琢磨着买吧。"桐桐道。

"行，那我去客厅看会儿书去，难得清闲，读读史明明智去。您自个玩着。"云在天笑道，然后从书柜中抽出了本明史。

云在天做什么事都很投入，看起书来亦如此，只要拿起一本书，就会沉浸其中。"收盘啦。今天上当了，没听你的话。"桐桐在云在天身后道。

云在天从书上移开目光，客厅的电子钟上显示已过 12 点。"中午收市都半小时了？你说我这书看的，都忘了肚子空空。你上了什么当？"云在天放下书问道。

"就是你说的那只放量股，明明所有指标都走好了，可今天却跳空低开。我还高兴来着，能便宜点买到，结果一开盘我就买了，现在套住 3% 了。另外两个还可以，我都是一开盘就买的，现在都比开盘价升了一点。收盘了我还一直在瞎琢磨，一看又是半小时，这东西能让人上瘾是不？我先弄点吃的。"桐桐说完准备去淘米做饭。

"都这个点儿了，我叫点外卖来吃。你不用做了。走，去看看那只怪股去。"云在天叫了两份外卖后，坐到了书桌前。

"今天的量依然很大，这主力的筹码相当多，想怎么操纵股价就怎

操纵。你看，它的非流通股还有一年多才能上市流通，所以这个主力只能是从二级市场购入的筹码，而且这只股最近几年都没送配过，也没公开增发过，更没未公开发行的定向增发，所以这个底部价格是实实在在的。出现这样的怪异走势，要么是公司的基本面出了问题，其中的主力提前对倒放量吸引买盘跟风进去然后达到减仓出逃的目的；要么就是想清洗掉更多不坚定的持股者。如果是后一种，那么他还会继续打压进行'血洗'，做出破位下行击穿前期底部平台的 K 线组合。这样，见股价处于历史低位区间的散户补仓的资金也会越补越套，直到最后'弹尽粮绝'，那么真正底部的筹码就只有他自己来从容吸纳了。所以，我刚建议你先别碰这只股。"
云在天道。

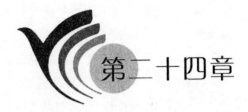

第二十四章

"什么是非流通股？我还没搞懂。但你看它今天的买入盘还是大于卖出盘的呀。"桐桐问。

"上市的股票，一般都分为流通股部分和非流通股部分，这是新股发行时的遗留问题。由于不是全流通发行上市，新股发行后，大股东和法人股等是暂时不上市流通的，一般有个几年的时限作为锁定期。股改后，原先的非流通股支付对价补偿后，也有个上市流通的锁定期。如果有自愿延长锁定期的，那么有个在原先的锁定期上再加上承诺的多少时间再次锁定的期限。这个资料上都能查，你以后操作个股时顺带研究一下是必要的，如果买了大笔限售股马上要解禁流通的股票，那么就不能确定即将解禁的限售股会否大举减持。"云在天说完后打开这只股票的分时成交明细后看了看又道："你看，它在这几个价位对倒交易了好几笔大单，由于这几笔大单都是成交在卖一价格上，造成一种扫单的样子出来，算作是买入单，所以会在买入卖出手数的对比上出现买单数量大于卖出数量的假象。"

"哦，这么坏啊？"桐桐咬了下嘴唇。

"你要记住，股票交易，鲁莽、幼稚、偏激都是投资成功的绊脚石。相反，世故、狡猾、精于算计虽然在日常生活中属于带贬义的词汇，但在股市操作中，却能时时减少无谓的损失或把损失控制在最低程度内。新手参与市场，要学会多听些难听不受用的观点。有些虚情假意纯属安慰性质的套话、空话和场面话听着虽然受用，但却对大势和实际操作毫无意义可

言，听多则会令自己的感觉日渐迟钝，便如同'温水煮青蛙'一般，从而丧失一次次止损出局、保存实力的机会。蘸了蜜的'好话'听着虽让人受用舒服至极，有时却不免犹如一剂'毒药'；听着难受让人心惊的'恶语'虽让人无法接受，有时却能起到醍醐灌顶、醒脑益智的功效。我虽然没对你说什么不受用的话，一是因为我们比较熟了，二是因为你现在是模拟操作，正是学经验的时候，多错几次反而能吸取些教训。日后，你去社会上去做事后，同样也要分清尽说好话的未必是好人，说话不中听的人，未必内心险恶。"云在天诚恳地说道。

"我会慢慢理解的。"桐桐点了点头。

"按照我的判断，这只股还有一阵的杀跌'意向'。T＋1交易，今天买了是卖不掉做及时止损操作的，明天你先卖了，不要让亏损扩大，等它的量恢复到正常时，再考虑要不要买回来。不懂止损，看着持有品种不断下跌缩水可不行。想在风险市场盈利首先要学会亏钱，要勇于及时纠正错误。这个我以前好像和你讲过。"

"对，我都记在本子上呢。就是到了真正的操作时，要坚决执行有难度。"桐桐翻着本子道。

"一般主力在发动前，都会尽一切可能把同时看好这只品种的小散震出场去，不会轻易让你跟庄成功。他们可是紧盯着你钱袋子的逐利者，而不是广派红包的散财童子。在股价拉升前，他们会变着法儿折磨你，打击毁灭你的持股信心。"云在天道。

"那我就把神经练得粗壮点，这样就不怕折磨了呗。"

"呃。你现在说话一副专业口吻，老气横秋的，这样下去，以后哪个男孩子敢接近你。有些东西记在脑中就是，不用把它化成一种语调，日久成习惯后，就是我的罪过。"云在天笑道。

"我就不能见不同的人说不同的话吗？我要学会这种见风使舵的本事。"

云在天愣了愣，看了看眼前仍稚气未脱的女孩。"女人心，海底针。"云在天心中道。

"师傅，那你再看看这两只，现在都赚钱了，我选得不错吧？"桐桐显出一脸得意。

"都刚从BOLL下轨反身向上，量价配合也算正常，中轨是道压力，你就看它们能否站上中轨，站上了就再放几天；站不稳又回撤的话，就不要犹豫先卖了再说，有一点些微的利润总比利润从手中溜走要强。做短线的话就是要灵活，不能给牛皮市拖住。"

"嗯。"桐桐伸了个懒腰打个哈欠。

"就算你以后立志做个专职炒股的，也不能不懂劳逸结合。通宵看电脑屏幕，今天一上午又紧盯电脑不放，对身体不好。下午你去睡一觉，都是今天开的'仓'，卖也卖不出去，下午无论是涨停还是跌停，你都只能干瞪眼。养足精神，晚上再研究几只自选股出来，然后就不断从中筛选捕捉出手的机会。"

"知道了。那个，师傅，昨晚我记得看着看着电脑就迷迷糊糊睡着了，今天早晨起来怎么就睡在卧室的床上了？"桐桐偷瞄了云在天一眼后轻声说道。

"哦，我看你趴在书桌上睡着了，就把你……呃，移到床上去了。"云在天觉得脸有些热。

"移到？乾坤大挪移？那你再移一次，肯定很好玩。"桐桐说完往沙发上倒头睡了下去。

云在天刚想说她贫嘴，送外卖的到了。

下午开盘后，云在天意兴阑珊地坐在电脑屏幕前，漫无目的随意翻着涨跌幅排行榜。

自从这两天账户受到监控后，云在天发觉市场的各路主力收敛了许多，前阵子比自个操作手法更激进凶狠的短线资金好像都蔫了一样，很多明明趋势走好，完全已摆出攻击态势的品种突然都哑了火。

虽然桐桐买的这只走势怪异的品种，盘口大单对敲明显，但股价是往下做。市场历来就是盯着连续涨停的操作行为，对于连续下跌的品种，即便有明显的操纵行为，也从没听说过受到处罚。连续大单申报买入又不成交，可能涉嫌虚假操纵，但连续的大单压出，也不是以成交为目的，就不易被察觉。

云在天熟读证券法律法规，知道只要以信息优势、资金优势操纵股价都是不允许的，但事实上，利用资金优势形成的筹码优势进行刻意打压股价的行为往往被市场所忽略。

看着这只股票层层压盘如排山倒海般，"有条不紊"地一个价位一个

价位的压出。云在天童心再起。凭多年经验来看，不会是公司基本面发生了重大的变化，真有什么事，主力这几天肯定拼了命也要拔高出货，像这样往下压，筹码只会有增无减。

再跌一段，量缩下来，压盘也都不摆出来了，肯定还会再拉起来。之所以敢压这么多卖盘出来，那是因为没有一个新的规模资金去扫它的卖单，只要扫掉一笔，它上面的卖单马上就会瞬间消失。

这个估值在同行业中也是最低区间了，又不是在大涨后的高位有丰厚利润，如此搞法，云在天也觉得这主力有魄力，做盘手法比较阴险，非把持有这只品种的意志不坚定的小散搞崩溃，无法承受后斩仓出局不可。

云在天想了想，对睡在沙发上的桐桐道："你的股票涨停了。"

"啊！真的，哪只？"桐桐腾地从沙发上跳起来问道。

"我是说到收盘可能涨停，有事和你说。"

"你骗人！有什么事说吧。哟，头好晕。"桐桐站起来后又一下跌倒在沙发上。

"你有身份证了吧？"云在天问道。

"有了啊。我都高中毕业了，怎么会没有身份证？问这干吗？"桐桐说着用力晃了晃头。

"那行，你现在没事的话，就在下面马路对面的证券公司去开个户，用你的身份证开。哦，还要到银行去办张卡，现在都要银证转账一起办。我这张卡你拿去，上面还有几万块吧。你替我拿出来后，放到你的账户上。这几天你模拟交易结束后，就开始来点实际的。我在这城市待不久了。"云在天说完，从书桌抽屉里拿出一张银行卡递向桐桐。

桐桐愣了下，没去接云在天手中的卡，"怎么？你要丢下我走了？"

云在天看了眼对面不知所措的女孩，支吾道："天下没有不散的宴席。我在这里待不下去了，什么原因你也不用知道得太清楚。你带了身份证去就行，今天下午都办妥了，明天账户就能用了。会填很多表格，网上交易也一起开通。"

他再次把银行卡递到桐桐面前，然后说了个密码。

桐桐习惯性地咬了下嘴唇，犹豫了一会儿，迟疑地接过云在天递过去的银行卡。"我都从没有用过这个卡。"桐桐满脸通红道。

"这个很正常。你取款时在柜面办好了，你申请张借记卡，然后把我这卡上的钱转到你新开的卡上就行了。什么事都有第一次，你的菜就比我烹饪得好多了。现在就去吧，手续有点繁琐的。"云在天起身拍拍桐桐的肩头。

等桐桐所有手续都办好回来时，股市已经结束了一天的交易。

"都办好了。我的股票怎么样了？"桐桐把一沓开户材料递给云在天后，马上在电脑上查看模拟买入的几只股票。

"呀，这股跌了8%呢？早晨低开3%时我买的，现在套了5%。这两只股票都小涨了一点。"桐桐拿起桌上的计算器，仔细算了一会儿道："总的还亏了那么一点，都是被这只股票害的。"

"我估计它明天低开后会有盘中反抽的机会，明天你先减掉它。这就是刚开始学习时适度分散的好处。如果你看这只股放量拉阳线，准备博一把，把全部资金都集中到它身上，这次的亏损就很可能要很多时间才能挽回，同时心态也被搞坏。现在你只投20%的资金在这只股票上，另外两只股走势比较健康，能挽回损失的。"云在天看了看另外两只股票。

经过几天的模拟操作后，桐桐的模拟账户资金实现了正收益。

云在天看着桐桐的交易记录后，带着表扬的口吻道："经过了漫长的股市寒冬，在场内还有交易能力的，大多数属于市场短线搏击的职业枪手和快手。这些股精们每天都在寻找剥主力一层皮就跑的机会，讲'故事'的主力找不到傻钱接盘，还得时刻提防自己成为股精们的下酒菜。你实现正收益已经着实不易了。"

你现在只记录了买入卖出的价格和金额，以后不妨把每笔交易买入的原因、买入时是怎么考虑的、是自己研究的品种还是看推荐或者朋友推荐、当时市场的环境、买入时股价在其历史波动区间处于何种位置等都详细记录下来。等卖出这笔持仓时，再把处于盈利还是亏损（幅度）、卖出时市场环境、卖出原因及为什么要卖等也详细记录下来，并对每笔完整的交易进行剖析，从中找出值得称赞或值得反思的地方，作为下一笔交易的参考。这样，在作出重要的操作决策前，翻翻记录，有助于提高鉴别能力。"

"那师傅，我什么时候可以开始实盘交易？"桐桐道。

云在天没有马上回答她的问题，打开那只怪股后看了看，想了一会儿道："这家伙的量萎缩得厉害，都快低于前期平台的均量了，股价创新低

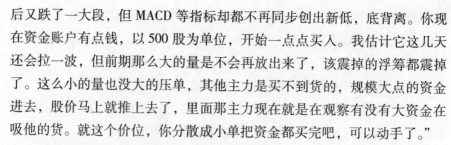

后又跌了一大段，但 MACD 等指标却都不再同步创出新低，底背离。你现在资金账户有点钱，以 500 股为单位，开始一点点买入。我估计它这几天还会拉一波，但前期那么大的量是不会再放出来了，该震掉的浮筹都震掉了。这么小的量也没大的压单，其他主力是买不到货的，规模大点的资金进去，股价马上就推上去了，里面那主力现在就是在观察有没有大资金在吸他的货。就这个价位，你分散成小单把资金都买完吧，可以动手了。"

"还要买它？我都怕它了。什么股不能买，非要买它啊？我可是第一次实盘操作。"桐桐心有余悸地看着平稳的分时走势图道。

"这一把不算你实盘操作，算我的。看看能不能从这主力手中赚点小钱。也就小资金试试，真有大的投入，这主力是绝对不会拉的。他控了盘，你有点规模的资金进去要想吃到点货，就把股价打飞了，里面的主力就乘势派筹码。"云在天看着桐桐在电脑上一笔一笔 500 股地买入这只股票。

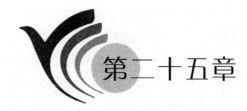

"都买完了。但愿它收盘前不要再杀尾盘了。"桐桐心有余悸道。

"量能都缩到这个份儿上了，还能有什么做空动能？主力已经把几个一般人最常用的指标做成完美的底背离了，他的做盘手法非常纯熟老到。按我的操作手法，2点半后就可以拉尾盘了。"云在天看着股价犹如一条平线的分时图道。

"那么你猜它会以什么形式展开拉升？是连续的小阳上攻还是直接打板式快速上攻？"桐桐问。

"看他那手法，应该不会一字涨停式的做高股价。我估计是震荡式曲线上升，把轨道线做成上升通道后，股价比较可能依托中轨和上轨做成上升通道的形态。这样不但能每日清洗浮筹，上面的抛压也不会太重。市场做短线的都喜欢赚快钱，他把股价一扭一扭地慢慢推升上去，初期的跟风盘就不多，等大多数看出这个上升通道已经完全形成时再想找买点介入，他就会开始急速地拉升了。"

云在天拿过一张打印纸，画出一个布林线由下降改为平缓然后缓步上升的通道，然后指着画好的轨道线道："等股价的上升通道完全形成后，按他的脾气，还会有瞬间把股价打到下轨的可能。这主力是老手，估计是第一代的操盘手。如果真如我所预测的那样，那我们的资金少，初期就来个上轨抛、中轨接回来的办法提高复利。"

"怎么这么肯定？"桐桐道。

"就是一种直觉。应该是凭多年的实战训练出来的经验逐步形成的。具体的也说不大准确，直觉这东西很抽象，无法用语言完全解释清楚。"云在天笑了笑道。

电脑上的时钟一分分地跳到了 14 时 30 分，这只股票仍然一点动静也没有。盘口都是几手几手的买卖盘在成交。云在天懒散地靠在沙发上，耷拉着脑袋闭目养神起来。

"呀，拉起来了。快来看。"桐桐兴奋地道。

云在天缓缓抬起头，望向电脑屏幕。只见这只股票突然在买盘的强劲推动下竖起了旗杆。

你看，还是那种突然一笔几千手的对倒盘扫光上面的零星卖单，然后应该是筑起平台交易到收盘。比我预计的晚了一刻钟。

"师傅你厉害。那么你预测下，明天它是高开还是低开?"桐桐对着云在天竖了竖大拇指道。

"按他那德行，肯定低开无疑。他才不会让今天买入的散户，明天集合竞价就在高开时顺利兑现短线赢利。一定是低开在平均买入成本的上方一点，给你们一个'跑道费'。有耐心地继续守着，没耐心的就快走。"

云在天狡黠一笑后，敛起笑容又道："不了解这种操作手法的，就会认为里面的是个恶庄。如果了解了他的思路，那就能看成大大的'善庄'，能提供我们更多盘中增加复利的机会，不是很好吗?"

"不会再像上次我买时那样吧? 明天低开低走到收盘，再创个新低那我们就'全军覆没'了!"桐桐担忧道。

"应该不会，他拿着的筹码已经太多了。指数有做空机制，做空期指同样能套利赚钱，个股却还没做空机制。而且像这种操作的资金，基本上不会全部是自有资金，有很多是短期融来的资金，利息成本很高。虽然他在前期的平台处继续往下挖了个深坑，但这个坑的成交量是明显萎缩的。他的成本还是在平台位置，摊低不了多少总持股成本。以后这个平台是一定要拉过去的。到平台我们就能赚不少了，到时再看他是强行突破过去，还是再来次反复震荡后磨过去。这个就难估计了，得看他怎么想，资金的还款压力大不大等因素我是无从判断的。"云在天指了指这只个股前期的平台及单日巨量的 K 线道。

"我们今天买的不能卖出，那就是要到明天才能开始做倒差价是不是?"桐桐问。

"对，如果它明天如我所言跳低开盘，那么在震荡一天后，尾市还会被拉起来。这样 K 线实体就是低开的中阳线，而且是继续创新高的中阳。"云在天道。

第二天，这只股票正如云在天所预测的那样，在大手笔的卖单压制下跳空低开。低开后震荡了半小时后，股价被并不集中的买单缓缓推起。

"师傅，你看怎么这时候就拉起来了？要不要卖掉?"桐桐看着分时走势道。

"应该是昨天下午尾市有点资金追进去后，今天看着股价低开，想把股价打起来后减掉些仓位，不是这主力干的。你先走掉 1000 股，等会儿有机会拿回来。不过差价不会大。"云在天边说边打开另外一台电脑的交易软件。

"卖了，我挂在昨天收盘价下两个价位。被一笔买单打掉了。"桐桐说完靠近云在天看着他的交易软件。

"你看，我这边的 10 挡盘口上，在第 7 挡以上加起来就有几万手的卖单挂着，这主力是不会让大户资金把股价快速拉上去的。过一会儿，准会把股价再压回到昨天的平均交易价上面一点。"云在天指着隐藏在 5 挡盘口之上的巨大卖单说道。

"如果他不压这么多单，那刚才这波直接翻红对他来说不是更好吗?"桐桐诧异道。

"翻红的话，他又没利润可言，为什么要让昨天进去的资金在刚开盘后就顺利出逃去换其他品种呢？他现在处于反复清洗筹码期，不会让别人轻松搭他的顺风车。越让别人搞不懂他在干吗越好。"云在天面无表情地捏了下耳垂后道。

云在天刚说完，该股的股价就瞬间被大量的卖单重新压回到开盘的价位上。

层层的大卖单悬挂在卖出 5 挡盘口上。刚才推高股价的资金瞬间哑了火，连"卖一"上并不算最大的卖单都没勇气去扫掉。

"刚才'投机倒把'的资金还算聪明，没敢去扫他的大卖单，否则的话，只要扫掉一笔，更大的卖单会接踵而至，直接把股价再打下一个台阶。他的筹码太多了，这样的品种，一般稍具规模的资金都会避而远之，

谁也不会跟钱过不去，斗个两败俱伤。"云在天看了会儿，见刚才那股资金不再试图推高股价后，才对桐桐道："把刚才卖掉的那 1000 手拿回来吧。这是我们在这只票上的第一笔差价，虽然只够点小菜钱，也算褒奖自己一下。"

"今天要等尾市拉升后，再卖了对不？"桐桐边说边在本子上记录下这笔差价。

"情况有点复杂。因为昨天下午拉升的时候有资金跟进去的，我估计啊，是做短线的大户资金。但我没法知道这大户资金是单干还是联手的一个'战队'。同样，这股的主力现在也摸不透昨天下午进去资金的实力，以及前段时间是否偷偷零星吸纳了一些筹码。所以，今天下午可能未必会拉升了。如果要拉，也是在离收市前一分钟左右的时间进行偷袭，瞬间拔高股价，让有规模的资金反应不及出不畅货，同时还能完成预期的 K 线形态。"

"这么复杂啊？"桐桐表示怀疑。

"我以前跟师傅学习的时候，也经历过这样的事。看了这只股票的走势，似乎有种回到从前的感觉。这操作手法太熟悉了。"云在天手托腮帮缓缓道。

"你也有师傅啊？师傅的师傅？我该叫什么？那会不会是师傅的师傅在操作这只股票？"桐桐绕着口道。

"不会。他们那一代的人，手法很单一，全凭资金实力说话，也没现在这么多推手的舆论平台来大规模地布局忽悠。做得上去要做，做不上去也要做。进去了，就力争做成。那时也没做空机制，只有做多才能赚钱深入人心。"云在天一脸神驰道。

"那师傅的师傅他老人家现在在哪？我能见见他吗？"桐桐推了推陷入沉思的云在天道。

"这个我现在不想说。"云在天突然十分严肃地道。桐桐从没见云在天作出如此凶狠的表情，愣了愣，吐了下舌头不敢再问。

一直到下午收盘前 10 分钟，这只股票始终被控制在一个狭小的只有几分钱波动的"夹板"内缩量交易。上午那贸然试图推升股价的动作，此后在一天的交易中没有再出现过。

云在天看了大半天的闲书，此时终于放下书走到电脑屏幕前，对守在屏幕前的桐桐道："把它的上轨价打出来看看，然后在上轨线下的几个价位把所有的股票都填卖单挂出去，虽然只不过就几千股。"

"哦！看样子今天不会拉尾盘啦。"桐桐点开网上交易窗口，按照云在天说的价位把卖单都挂了出去。

"现在买入、卖出和撤单的申报单都不用花钱了。我像你这么个年纪的时候，都得花钱，不成交也要花钱。"云在天的思绪好像又开始飞驰。

"师傅你今天多愁善感的，看上去快像个诗人了。"桐桐突然抿嘴笑道。

"以前很喜欢李后主的词，但研究得再仔细，一首那样的词也做不出来。啊！一朵美丽的花，哎！一朵含羞的草……这样的句子倒是能挤点出来！看看它会不会拉一把尾盘。"云在天笑着捏了捏耳垂。

"还有两分钟就结束了。"桐桐敛起笑意紧张地盯着分时图。

第二十六章

14 点 59 分过后，该股盘口突然出现连续的大单对倒，股价瞬间翻红后继续直线飙升，直接从布林线中轨跃升至上轨处。

桐桐迅速打开交易软件，一查成交明细后，转过头对站在身后的云在天说："全部成交了。算得真准，神了。"

"他要么不做尾盘，要做尾盘的话，上轨就是目标位。依他的性子，不会把股价打出上轨很多，刚好收在上轨附近就够了，所以我让你卖出价格填在上轨之下的价位上。"

"可还是低了几分钱，少了几顿菜钱啦。"桐桐有些贪婪地说道。

"买在最低价，卖在最高价，那是神仙干的事。你我一平凡得不能再平凡的普通人，只要每笔能够盈利，甚至 70% 的交易能够盈利，就已经算是超越自我的表现了。随着交易时间的增加，你这种卖到最高，买到最低的追求'完美'的愿景自会被打得支离破碎。"云在天说完看了看账户的市值。

"我希望在这段时间里，能和你把这账户的资金增值个 30%。但愿不是一种奢望。我估计它接下来有一段震荡向上的趋势，我们现在的操作是属于右侧交易了。它的趋势一旦形成，一般总会经历震荡攀升、中途换挡和加速上升几个阶段，如果主力急于拉升，那么就会省略掉中途换挡震荡的洗筹期。这股的主力已经进行过一次凶狠的向下破位的大洗仓，所以我估计他不会再耐心进行中途的回挡洗筹。你外婆回老家了没？"云在天话锋一转。

桐桐本来放松的神情一下子紧张起来，低着头过了会才轻声道："要照顾住院的妈妈，暂时不会回的。"

"那你怎么不去医院看看你妈？不服侍也就算了，经常去关心一下是完全应该的。"云在天板起脸道。

桐桐低头不语。云在天心中有火，突然呵斥道："和你说话呢，别老低着个头，看着我说话。"

桐桐极不情愿地抬起头，却不看云在天，把头执拗地转向一边。云在天还想教训她几句，但见她两行热泪已夺眶而出。云在天看着她倔强的身体语言和强忍着不擦眼泪，心中一软，想说的狠话咽进了肚中，噤口不语。

书房中一时间出奇的寂静。云在天从抽巾纸盒里抽了几张面纸递到桐桐的眼前。桐桐不接，把头扭向一边。云在天便塞到她手上后离开了书房。

接下来的几天，桐桐在云在天的指导下，对这只股票进行了多次的低吸高抛，依着它的上升趋势进行每日的盘中差价操作。

"咦，今天它怎么不到尾盘再拉而是上午就开始对倒拉升啦？要不要卖？"桐桐看着电脑屏幕上直线飙升的股价，问坐在沙发上看侦探小说的云在天。

云在天走到电脑前看了一眼："震荡上升了这么多天，里面的主力又没赚到钱，现在正好冲击到前期的平台区，我估计他应该是忍不住想快速拉升了。如果我判断的没错，这只是快速拉升的第一天，以前那种依着中轨和上轨慢慢走的图形，应该急转成直线拉升的图形了。一般越往上就涨得越急。不能再做差价了，拿着看几天吧，大涨才开始！"

云在天得意地拍了下桐桐，突然觉得这动作有些不妥，又马上坐回沙发上去。

"我给你倒杯茶去。"桐桐毕竟年轻，抑制不住满脸得意，拿着茶杯几乎是蹦着往厨房跑去。

云在天的手机在这时候响了。他接起电话，本来颇显轻松的表情慢慢开始严肃起来。桐桐端着茶杯走进来，刚想开口，见云在天的脸色非常难看，知趣地把茶杯放在茶几上后蹑手蹑脚坐到电脑屏幕前。

"行，我都知道了。"云在天挂了电话后长嘘了一口气。

桐桐回头望着表情依旧严肃的云在天，话到嘴边又缩了回去。房间里瞬间静得出奇。

"我在这城市待不长了，这个月就会离开。"

云在天看了眼桐桐后又道："这房子是我买下来的，本来去其他地方，我就会处理掉这套房子。如果你暂时不愿回你外婆那，这里你可以暂住。房子留着以后处理掉也可以，反正楼价每年都在上涨。"

"为什么啊？师傅不要我了？"桐桐不知所措地问道。

"出了点儿事，具体的我也就不和你说了。经过这次的实战，你多少有了些稚嫩的经验，只要以后多看多操作，用小笔的资金不断练盘感、练眼力，逐渐也会摸清点门道。职业操作的话，不去想一夜暴富，摆正心态，也是一种生存的方式。虽然这种生存方式比较艰难，但也非常人能够胜任。"云在天徐徐说道，严肃的神色稍散。

桐桐一脸茫然，眼眶中已有泪花。

云在天不忍看她，一边走出书房一边道："我们还有几天的相处时间，等这里的事都办妥了，这只股票也差不多该兑现利润了。"

云在天走进卧室，关上门后，给唐瑭挂了个电话："处罚结果出来了，这几天处罚通知书就会送达。就是那调查的几个账户，其他地方的账户没暴露出来，或者说没有深究下去。我们也就是被抓出来的典型。那几个被查账户，没收违法所得并处同等数额的罚款，这是最好的结果了。不过我的职业生涯算是到头了，以后要干也就是自己做自己的了。"

"安慰的话你就别说了，只能说那句老掉牙的台词，'出来混迟早是要还的'。股市就像一场戏，我们只是群众演员跑龙套的。这几天你把那些该退的管理账户都移交了，那些零散的我们自有资金的账户，除了我当初投入的本金，还有你们自己投下去的一点本金各自拿回外，其他所有的利润4个人均分了吧。这个事情你们3个一起去做，务必把盈利平等均分就行。离开这城市前，大家再一起吃顿饭。你不要过来，我心情不好，什么人都不想见，过几天有机会多聊聊。"云在天说完后，就把电话关了机。

他整个人突然感觉松懈下来，脚软软地跌坐在床上，就好像转动的齿轮瞬间失去了动力一般。

脑中一片空白的云在天慵懒地躺在床上，枕边的幽香却提醒着他，这床的主人已经有一段时间不是他自己了。

这时，卧室的门有人轻叩。

"门没锁。"云在天咕哝道。

桐桐轻轻推开门走了进来，然后坐到床边看着云在天。

云在天瞥了她一眼后道："别这么看着我，被你看得心里发毛。"

桐桐握住了云在天的手，轻声道："带我一起走吧。"说完，突然就俯身抱住躺着的云在天，然后把一张俏脸紧紧贴在云在天的胸前。

一股少女特有的幽香瞬间冲入云在天的鼻中，云在天心跳加速，顿时有种热血上冲的感觉。云在天想推开桐桐的手还没碰上她的肩，却不由自主的轻轻抚摸了一下她的长发。

"我没什么报答你的。我……我……"桐桐轻轻呢喃着。

"这样不好，你坐起来。"云在天握住桐桐的上臂，用力把她撑开。桐桐犟着劲不让他推开，云在天躺着使不出力，手一滑，不小心蹭到了桐桐的敏感部位。桐桐嘤咛一声，红着脸自己在床边坐直身，把头扭向了一边。

云在天坐起身，见桐桐低着头摆弄自己的衣角，觉得甚是过意不去，便轻轻拍了拍她的肩膀故意岔开话题道："收盘了？"

桐桐点了点头，一脸娇羞地瞥了眼云在天，想说什么又咽回了肚里。云在天见她美艳不可方物，顿时热血又有些上冲。

他犹豫了下，还是轻轻搂住了桐桐的肩。桐桐颤抖了下，随即依偎在云在天怀中。不知过了多久，云在天逐渐冷静下来，望着比自己小很多的桐桐，猛然警醒。

"时候不早了，可以弄晚饭了。我去买瓶红酒。"说完推开桐桐，逃也似的离开了住处。

第二十七章

　　"石董，南方那家公司的老总说什么都要见你。他狠话都说了出来，您不会见他们，他们就不回去了。"巫大海一大早就急匆匆来到石俭的办公室汇报情况。

　　石俭看了眼巫大海后，做了个手势后笑着道："坐下说。看来这次他们是不想空手而回。这个壳实在是太烂，就是收破烂的也未必能看上。马上就要退市了，再不重组，过了我们这个店，就没下个村了吧。"

　　"我看也是。这不我们还握着几百万股的筹码没有成功退出嘛，我觉得吧，您要是正式和他们接触下，没有不透风的墙，涨停板肯定能多上几个。"巫大海道。

　　石俭点了点头，慢条斯理道："那这样，今晚我们就做个东，就在小五的金湖俱乐部。你去约吧。"

　　巫大海答应后便起身准备离开。"等下，你看，你还是那急躁的脾气，我话还没说完。"石俭摇了摇头道。巫大海不好意思地笑了笑，站着等石俭发话。

　　"让小五叫两个文化层次高一点，上得了台面的女孩，等吃完饭，唱歌时作陪，他俱乐部里没有，就去外面找。就说我吩咐的，那种一瞥就一脸风尘气的别给我找来。"石俭道。

　　"这个我知道。小五精着呢，您吩咐的事，他可不会随便应付。"巫大海说完笑着离开了石俭的办公室。

石俭在电脑上打出南方这家公司的分时成交图，又是涨停开盘。不过今天开盘的量有些大，涨停价上的封单也比上一个交易日少了近30%。他摇了摇头，暗自考虑，第三个涨停就这么吃力，等会儿恐怕还有打开涨停的可能。

导致这种局面的情况有两个，一是内部人或者说内幕消息灵通者没有得到实质的信息，瞅着自己连面都没露，肯定有打提前量出货的资金。二是这段时期涉矿题材还没被市场看好和发掘，自己走得超前了。

这阶段是网络电子物联网之类的题材吃香，众多炒手喜欢的题材和自己放出的题材不合拍，市场不买账。石俭点起了烟斗，一边抽一边飞速地转动脑筋。

"岚卉，你查一下，目前有没有网络电子方面的公司找我们入股风险投资？"石俭问道。

"那肯定有。不过你要是想马上做成公司名下的投资，或者由公司控股参股的形式制造什么题材，时间上不够，法律上也不承认。荆石在VC风投领域是门外汉，公司也没专设部门，缺乏这方面的人才。"岚卉一针见血道。

"都被你看透了。风投这领域需要广撒大网，数家公司中有一家能上市得以成功退出，才能收回其他投出去的资本，资金占用时间长，不确定因素多。而且好的企业大家抢，不是风投选，而是这类企业端足了架子选择战略投资者，也轮不上我们来分杯羹。暂时看不出未来前景的中小企业虽然多，但那不是我们所能控制其发展走向的。题材用时方恨少啊！看来以后有必要拿出一笔资金，也搞搞风险投资，投石问路熟悉下这个领域，但具备这方面眼光的人才太过抢手，公司要养着，也是很大一笔开支。那你再找找，有没有电子方面的投资。有些投资都是直接由大海他们去做的，我没有一一过问，所以一时想不起我们公司能和什么网络公司和电子产业搭上边。"石俭笑道。

"那你不能直接去问巫大海？你那不见兔子不撒鹰，无利不起早的投机字典里，恐怕容不下自己控制不了的出资吧。"岚卉在电话中轻轻哼了一声。

"大海他办事去了，资料都存在你那，不找你我找谁去？"石俭呛了口烟，一边咳嗽一边道。

资本玩家

"好，我仔细查找下，找到后把文件送过来。少抽点烟，大烟枪一根。"岚卉道。

石俭刚挂完电话，那家南方公司的股价就被打开了5%涨幅限制。托在涨停价上的买单瞬间被蜂拥而出的抛单吃掉，股价迅速回落。石俭马上拨了个电话给公司的资产管理一部，"小林，你给查下这只股票的大卖单出自哪里。"

"嗯。"石俭一边听汇报，一边看着这只股票被打至昨日收盘价的"白板"上。石俭从办公桌里拿出一部手机拨通后发出指令："5号这只股票，涨停板以下的价格悉数买进，有多少抛盘就接掉多少。3号那只股票继续出，能出多少是多少，不要了。"

过了一会儿，这只股票在一股买盘的推动下，缓缓向上。这时，桌上的电话响了。"石董，我是大海，已经都联系好了。"

"嗯，你这边联系好了，股价也开始回升了。刚才这票有一批资金套现了，是南方那边的营业部席位。没得到什么有彩的消息，熬不住了，落袋为安啊。我们就让他们在涨板价上追回筹码。晚上准备多加点料，哦，对了，我们手上有什么电子行业的股权投资，最好是控股的。"石俭问道。

"有啊，投资还不小。您忘了，上次不是有家做电子的企业缺资金，低价转让了51%的股权，我们接的盘，当时还请示过您。您那时集中精力做一只股的资产注入，让我全权处置的。"巫大海道。

"是有这么回事儿，那时我经手的资产重组是公司的大手笔，都到了废寝忘食的地步，押了重注下去，可以说荆石也是命悬一线。那就这样，我等会儿研究一下你那笔经手的股权投资。"石俭道。

石俭刚挂完电话，岚卉就带了一份资料走了进来。"喏，有这么一笔投资。股权转让合同不有你的签名吗？这么大的事连印象都没？"

"让我看看，到底有没有赚头。"石俭一边翻阅文件，一边道，"来来，陪我坐会儿。""不了，事多着呢。满屋子烟味，还是特呛人的那种。我帮你窗户开大点，这样闷着对身体太不好了。"岚卉把窗户开大后，就自顾自走了。

石俭摇了摇头苦笑了下，便凝神看起文件。

看着看着，石俭便皱起了眉结自言自语道："这么低的利润率，即便买入的价格是不错，但这样的股权握在手里，就好比湿手握到干面粉一

126

般，甩起来难甩，套现不宜，增值空间很小，最多能股权质押贷点款，实在不是桩好买卖。这大海，筹资有一手，怎么花就不是个内行。"

他看了看自己的签名和印鉴，顿时有种有苦说不出的味道。

"还好，有这么笔鸡肋投资，有把它装到那家巨亏公司里的意向，好歹也和最近的市场有所贴近。就看市场买不买账了。"石俭看了看那只又被勉强封上涨停的巨亏公司后想道。

傍晚时分，秋意来袭的邑城，天空已经暗淡下来。

金湖俱乐部周边的景观灯已全部亮了起来，俱乐部主体建筑在几只大型的白色强光射灯照耀下，在昏暗的湖水和天空背景的映衬下，犹如一只透明的巨禽欲展翅高飞，显得异常的流光溢彩，璀璨夺目。

石俭到的时候，南方这家公司的董事长及随行人员已在华丽的宴会厅恭候多时。石俭先去了俱乐部总经理小五的办公室。

"石董，您来了。有什么吩咐?"小五一见石俭进门，连忙站起身。"让你找的陪唱女孩找到了?"

"找了。都在对面小会客室里待着呢，是上班族，绝对非专业，没有您所说的那种风尘气。我知道您要先看下是否符合标准，不行的话，我再联系。我这边的都放她们一天假，今晚我们不接待外客。"小五道。

"好，这事你办得不错。我在门外看一下就行。"石俭说完便起身走到对面的小会客室外，往里面快速扫了一眼。小五跟在石俭背后，忐忑不安地看着他的反应。

"还行。比你这的强多了穿着也大方。我这就去宴会厅，等会饭局结束了，这里的事就交给大海和你了。"石俭稍微点了下头轻声道。小五答应了声，紧张的神情放松了下来。

"不好意思，有点事耽搁了，让各位久等了，抱歉之至! 这位是李董事长吧? 我是石俭。"石俭进了宴会厅后，先对众人团团作了个揖，然后径直朝一名红光满面、大腹便便的中年男子走去，然后热情地伸出右手。

"石董啊，您真是神龙见首不见尾。我们都来几天了，才第一次见上您的面。"那名姓李的董事长和石俭握手寒暄。

"大家坐、坐。今天俱乐部概不接待外客，大家尽兴。大海，吩咐小五上最好的规格。"石俭扫了眼桌上放的白酒，又道:"这酒怎么行? 换茅台上来。"大海答应了声，步出宴会厅去找小五。

资本玩家

第二十八章

　　李姓董事长向石俭一一介绍了随行人员。

　　石俭点头道："贵公司的管理层几乎都光临本市了，实在是招待不周。这几天被重要的事缠着，实在脱不开身。我呢，也想去贵公司实地考察一下。我们的巫总去过几次，但我还不熟悉情况，我们公司投资的产业和股权太多太分散，我现在已有分不开身的感觉。这不，今天一天，我都在寻思着如何把优质的资产注入贵公司，光矿产开发权这块，远水解不了近渴，投资的利润产出期过长。"

　　"还是石董您想得周到，不愧是股权投资方面的帅才啊。我们公司全体管理人员和员工，都热忱期盼您早日来公司视察指导。"李姓董事长用讨好的口吻道。

　　这时，菜陆续不停地上了台。巫大海拿着两瓶茅台落座后，开始给席上众人敬酒。"石董，我敬你一杯。"李姓董事长站起身道。

　　"这个抱歉，我不能碰酒。你看大海都没往我眼前的酒杯斟酒。大家随意，我以茶代酒，敬各位一杯。"石俭拿起眼前的茶杯站起身，遥敬了在座的人一圈后，一口喝了杯中之茶。

　　"李董，我们言归正传。贵公司的资产剥离做得怎么样了？"石俭放下茶杯后，劈头就问了胖乎乎的李姓董事长一句。

　　李姓董事长猝不及防，愣了一下后才反应过来，忙道："哦，母公司正在抓紧进行不良资产的剥离任务，力争在重组前完成一个净壳，以便于资产注入事项。"

石俭眼角瞥到了他胖乎乎的圆脑袋上有汗珠渗出，心里头笑着，脸上却丝毫不露声色。

他选择了下措词后徐徐道："今天我和大海他们几个商量了一下，觉得还是把一块规模较大的电子行业的资产注入贵股份公司来得实在。毕竟现在公司是到了生死存亡的退市前奏阶段，只有实质性的见得到产生利润的实业资产注入，要比题材来得更为重要。这块资产的主要材料我今天带来了一份，等会儿您看下。当然，这个重要的信息，希望不要走漏出去，不然又会带来不必要的股价异常波动。等我忙完这一阵，就去贵公司实地考察。"

"那真是太好了。等会儿我就自己研读。"李姓董事长双手接过材料，郑重地放入名牌真皮提包。

饭局快结束时，石俭对席上众人道："工作归工作，适当的娱乐还是需要的。这里的唱歌设备不错，大家别急着回宾馆去，唱会儿歌娱乐娱乐。大海会替我作陪，我手上要处理的事太多，马上要回公司去，就不陪各位了。抱歉抱歉。来来，我以茶代酒再敬各位一杯。"

"石董您干劲真足。这顿不能由您请，得我们请。"李姓董事长说完从上衣口袋里拿出张金卡招呼站在桌边的餐厅领班。

"我们略尽地主之谊。下次我去你们那，您再回请即可，就不要互相客套了。以后的时间还长着呢。那就这样？大海，你带大家去二楼的包厢唱歌娱乐下。我先告辞了。"石俭笑着站起身道。

"石董，您这就走？我们借一步说话。"李姓董事长也站起身，拉着石俭往宴会厅外的一侧走廊而去。

"石董，您看，大老远来的，也没带什么像样的礼物。听说您喜欢搞个收藏。我让公司里懂行的人，买了点小礼品，希望您能收下。"李姓董事长边说边从他那华丽的皮包内拿出个锦盒塞到石俭手中。

"太客气了，这个就不用了吧？"石俭推托道。

"您不收下，就是看不起我，看不起我们公司啦。小小礼品，不成敬意。见笑见笑。"李姓董事长拉着石俭的手道。

石俭见其他人陆续从宴会厅走出来，不想再和李姓董事长推搡下去，就接了下来道："那好吧，我权且先收着。来日方长。李姓董事长，不要

一心扑在工作上嘛，等会上去唱唱歌娱乐娱乐，放松放松，适当的休闲是为了更好地工作嘛。我这人吧，不爱唱歌不爱跳舞，就不作陪了。"

"行行。那您先忙着。"李姓董事长用力和石俭握了握手。

次日，石俭刚到公司，一进门，就见到个眼熟的女孩坐在公司大厅的沙发上，怯怯地看着自己。石俭仔细一端详，认出了眼前的女孩就是自己跳入湖中救上岸的那个。

"哦，我让老刘安排你工作，你是来报到的?"石俭坐到女孩身边问道。女孩点了点头，轻声道："刘老伯不在，我刚问了那边的姐姐，说是现在不在公司。"女孩说完指了指前台那边道。

石俭点了点头道："刘总确实挺忙，我们公司人不多，每个人都要干几个人的岗位。你姓什么? 小余，你过来下。""姓云。"女孩道。

正在前台的女子听到后，马上小跑了过来："石董早上好。"

"这个小云，以后跟你交班，你带带她，把具体需要做的事都告诉她。"石俭说完后，又对自称姓云的女孩道："身份证、简历什么的带来没?""都带来了。"

"好，我马上和管人事的说一声，你直接把资料拿上去。以后多跟这位姐姐学，不懂的事要虚心请教。那我先上去了。小余，我就把她交给你了。"石俭说完便起身上楼。

打开电脑后，股市还未开盘。石俭随手从提包里拿出那个锦盒，打开一看，是个玉制的笔筒。

昨晚石俭离开金湖俱乐部后，并没打开锦盒细看，而是随手塞入了放在车上的提包内。

他仔细端详着眼前这个玉制的笔筒，和田白玉的料，虽然体积不大，但石俭知道，做这笔筒需要很大一块毛料，而且做工精湛，筒的外壁刻着浮雕的诗句。这种笔筒就是一装饰品，高度和宽度都不够，放现代化的圆珠笔还勉强凑合，放毛笔就不适合。

石俭掂了掂玉笔筒后心道，这东西说贵不贵，说廉价不廉价，作为试探性的礼物送出去刚好。

看着时候还早，石俭拨了个电话给老刘。"老刘，上次提到的，给那新任的行长送点礼物试探下，礼物还没准备吧?"

"石董，还没呢，这几天事多，我倒把这茬给忘了，我这就找人去办。"

"不用去准备，想什么什么就来。我这有现成的。这几天你空下来，就去联络联络感情。还有那个落水的女孩今天来公司报道，正好我碰上，把工作安排下去了。你回来后，到我办公室来下，我把东西交给你。"

石俭挂完电话后，处理了一些文件，然后看这家南方公司的开盘情况。

9点15分过后，集合竞价阶段，这只即将面临退市的股票，出现了超乎想象的大买盘。

连经历过这么多次实际操刀重组大动作的石俭都愣了愣。5%涨停价位上的封单，即便流通筹码顷刻间有一半净卖出，恐怕也打不开这个涨停。更何况，持筹的，越是看到这么多的买盘，越是不忍沽货，恐怕都在后悔，昨天打开涨停时，为什么不多增加点仓位。

石俭看了看另外一只被他称为3号股票的开盘价，缩量高开。他从办公桌里拿出一部手机，拨通后道："3号股票出得怎么样了？"

听完电话那头的汇报，石俭点了点头，"没什么肉。鸡肋弃之不可惜，继续出，这两天一定要出完货，把资金腾出来。5号股票耐心等待卖点的出现。"

这时，有人轻叩办公室的门。石俭说了声："进来！"继续看着3号股票的分时图，然后拿出计算器低头算了起来。

"石董，李董他们今天早上回南方去了。李董让我带个信，希望您尽早能赴他们公司去实地考察。哎，石董，我给您提了这么多次建议，您就设个看门的秘书吧，也省得我们汇报工作每次都得敲门。"巫大海抱怨道。

"不是你一个这样说，老刘也建议过。你看，我们这栋楼是老式的建筑，外面直接就是走廊，要设秘书间的话，肯定不能往走廊上想办法，还不是把我这间房间再隔出一块地方来？要不就是打通隔壁那间房，这边的门给堵起来。秘书也不好找，关键是找不到可信之人，这事以后再说。今天这股封在涨停上是不可能打开了，我估计还能有四到五个涨停的可能。如果涨幅超出我们的想象，那就是这块电子行业的资产被市场认可了，也就不用再去他们那里装样子。如果涨幅达不到我们的目标，去一趟也无妨，无利不起早嘛。"石俭道。

巫大海脸上稍有得意之色道："那看来这笔电子行业的股权投资还算

押对宝了。"

"也不能这么说。我签的字，也不能怪你什么。这种鸡肋的投资，占了大量的资金在里面，虽然也能作为质押物来贷款，但如果急等着资金周转，你一时半会儿转手给谁去？这种行业我们不熟悉，市场竞争太过激烈。这次忽悠一下那李胖子，算是派上点用处，但下次就没法再用它做忽悠的工具了。等这次我们货出完了，得尽快找个卖家出手，幸亏你是贪便宜购进的，这价格应该亏不了，能马上变现就阿弥陀佛了。"石俭一脸严肃道。

巫大海被石俭数落了一番，也不生气，点点头："我知道了，石董。您最喜欢那种具有隐蔽资产的公司股权，能够带来数倍的回报才是一笔有价值的交易。"

石俭点点头道："我最近看上了一家公司，但我们手头的现金不多了。我正在做减仓甩卖的动作，斩掉不必要的仓位和股权投资。这将是我一生最大的一次收购梦想，慢慢的我会找你们几个开次会，把我们公司所有的股权投资梳理一下，不流通的股份该转让的转让，可以流通的股份该套现的套现。现在我先卖个关子。"

"那我也去岚卉那要份我们公司所有股权投资的清单研究下。不过您得给我开个条，她认死理，没有您的签字，就算您亲自打电话给她，她也不会给我打印出清单。"巫大海摇了摇头道。

石俭点了点头，提起笔在纸上写了几句，然后签了个名递给巫大海道："她那里存挡的也就是些公开化的资料。公司很多隐蔽账户也就你我两个知道，财务部的都不清楚。"

"那我拿了清单仔细研究下，研究下哪些资产可以变现，哪些可以用去做质押品。可惜李行长高升了，不然，连法院冻结的股份都能贷出款来。这新来的什么样的人，我们一点没谱。打关系也急不了一时。"巫大海道。

"3号股票已经陆续开始在出，拿的货也不多，这几天全部清掉后，你把分散的账号里的资金全部转入我们下面子公司的账户，还是老办法，几百万的资金，多过渡些账户后再转进来。我这几天就要用。"石俭道。

"行，那我这两天就去办妥。"

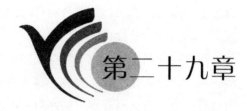

第二十九章

　　巫大海走后，石俭在自己的电脑上打开网上交易系统，看了看几个子公司的证券账户。几个账户的资金加起来也就几十万元。

　　石俭打开那只看上的公司的分时交易图，点上烟斗后猛抽了几口，然后打开一个子公司的账户，开始零散地申报出一些买盘。连续买了几十笔小单后，股价竟然被石俭的零星小买单托了起来。

　　石俭摇了摇头，心道：这就是一大户也能做庄的品种，都没人做空了，几百万的资金直接就能打上涨停去。不管它，刚开仓，用来压盘的筹码都没有，把股价往上打高一些才能拿到底仓。

　　陆续买进几万股后，股价已经有了一定的涨幅，盘口上开始出现了一些高挂的卖盘。

　　石俭知道这是做超短线的 T+0 盘，他对准一笔高挂的百手卖单扫去。0 扫掉后，并不连续去扫。等了 10 多分钟后，盘中超短线 T+0 盘见没有连续的动作，开始忍不住往下压价挂出卖单。

　　这次，他不再一笔扫光上面的几百手卖单，仍用零散小买单的办法一点一点"蚂蚁啃骨头"的办法，耐心地吃完了挂在卖一到卖三的几百手卖单。

　　花了一上午的时间，石俭才把几个账户上的几十万资金全部换成了这家公司的股票。

　　他长嘘一口气，点燃烟斗，美滋滋地猛吸了几口，伸了个懒腰，一时

间仿佛又回到了自己刚开始做盘的那个年代。

一周的时间转眼而逝。这天周五，石俭召集了公司几个重要人物开会。

石俭开门见山道："今天召集大家来，是想听听各位的意见。最近我看上了一家上市公司，这家公司有块隐蔽的资产。目前这块资产还在大股东旗下的另一个子公司手上，不属于上市公司所有，所以在上市公司的公开信息披露资料中是查找不到这个信息的。但这家公司的主营业务连年下滑，现在已沦为微利股。而且，这只股票最大的好处，就是里面没什么实力机构持仓。我已经观察了一些时候，基本没什么大单买卖盘，成交量也处于历史的地量区域，价格现在还比较便宜。我这周已经开了点仓，现在各账户上可使用的资金不多。接下来我准备套现一些股权投资，集中资金连续买入这家公司的股份。这个是公司的基本资料，你们每人一份先看下。以后就简称1号股票。"

"石董，我这周都在研究我们公司控股参股的各类股权，我整理了下，列了张清单，觉得这些股权可以易手转让。"巫大海递给石俭一份资料。

"怎么？又有大行动了？最近市场这么低迷，冬眠的各路资金虽然有所活动，但减持股权恐怕是卖在了最低价。太会倒腾了。"岚卉一边看着1号股票的基本资料一边撇了撇嘴道。

石俭拿起烟斗，搓了把烟叶装入后，看了眼岚卉，迟疑了下，还是把烟斗放了下来。

"卖不出好价钱是实话，但你不要忘了，买入这家公司现在也不需要出好价格，现在的价格相对它那块还不为市场所知的资产而言，那是太便宜了。这笔交易如果押对，那利润是相当可观的。即便控不了股，只要成为第二大股东，我们就有了影响董事会的投票数。如果能把这块资产注入到上市公司，简单的一笔关联交易，就能快速提升公司的含金量。股价翻5到10倍的交易我们不是没做过。"

岚卉一边用笔在资料上画圈一边扫视了一眼众人："买一点是便宜，但如果你想在二级市场收购的话，那就不是这个价格了，翻个倍都可能控不了股。况且还有持仓满5%需要举牌公告的信息披露制度。在此基础上，持股每增加5%都要公开披露一次，那时，股价就由不得我们控制了。你看，它总股本8亿，流通股6亿，大股东虽然没绝对控股，但你想控股，至少要超过大股东 1.5 亿股的持股比例。还有这家持股 0.5 亿的法人公司，不知是不是大股东的一致行动人，如果是，我们的持股就必须超过 2 亿股。从二级市场吸纳，有点天方夜谭。而且这还没计算到大股东会不会在二级市场回购股份进行反收购。"

"我就是看到它大股东才持有 1.5 亿股动了心。现在 4 元多的价格，也就 7 亿元左右的资金，当然股价肯定会随着大举买入而水涨船高，但还是在我们可承受的资金范围内。"石俭道。

老刘看着做思考状的石俭问："石董，这隐蔽资产是什么资产？是不是需要保密？"

"在座的都是同一条船上的乘客，没什么好保密的。是镁矿！它母公司手上控制着一块未探明储量的镁矿资源。不过，我已经收买了这家公司的一名管理人员，得到了这块镁矿的保守储量。因为这家公司的现金流量几近枯竭，大股东也没实力去开发这块资产。这家公司今年的业绩恐怕会出现轻微的亏损，这也是那名知情人士透露的。岚卉所说的，都有道理，这就是我们需要开会研究的，如何能买到更多的筹码而规避信息披露制度和监管风险。"石俭看了眼岚卉。

岚卉分析道："分账号也没用，只要是一致行动人，就必须履行信息披露制度，没有取巧的机会。如果我们使用大量自然人账户，到时股价越走越高，你以远低于市场价的价格假'收购'这些自然人持股，也是会穿帮的。这家公司流通股比例较大未必是好事，如果法人股数量极多，反而利于收购，通过大宗交易进行股权转让要比在二级市场收购简单容易得多。"

"原则上我支持石董。可以先从调查这家法人股的背景下手，看看是不是和大股东有很深的渊源，如果不是一致行动人，也未必肯轻易转让给我们。另外，以我们公司的知名度，股权交易还未达成，恐怕市场早已沸沸扬扬了，那就更不利于二级市场展开收集筹码的行动。介入成本难以控制。"巫大海道。

"老刘，也说说你的意见。"石俭看了眼老刘道。

"大的决策由石董您决定。我也觉得可以试一下，但岚总和大海的意见也都挺在理。"老刘道。

"那就这么定了。老刘，调查的事还是由你去办吧，这种至关重要的

事情，派别人去都不行。等会儿我把这家公司那名管理人员的联系方式给你。你就在他们那个城市蹲点，可以随便找个私募研究员的身份作为调研掩护，无论是法人股的背景，还是那块镁矿资产，务必要拿到真实可靠的信息。要敢花钱，你去之前先申请个资金使用额度，然后我签了字，你便去财务那支取。"石俭看了眼从不喜发表个人意见，什么事都随大流脾气的老刘道。

"好。这事就交给我办。大海跑不开，公司的资金调度员，一天也离不开。"老刘笑了笑道。

"哦，那笔筒收了没？"石俭突然想到就问了声。

"收了！收下就好办事了。这点小事，我就没敢向您汇报。"

石俭点了点头，看了眼岚卉后道："你手上办的那笔股权收购，暂时停下来吧。我这周反复考虑，觉得还是要集中精力把这笔大交易做好。谋事在人，成事在天！做事前怕狼后怕虎的不行。"

岚卉看着他不吱声，没有再发表意见。

"这事目前为公司的绝密消息，大家严把口风，一丝一毫都不能泄露出去。另外，老刘，你找个市场人士，在周刊上写篇我们公司的软文报道，下周交易日时能出最好。好了，散会。"石俭收过众人手中的资料，放入了身后的碎纸机。

等众人离去后，石俭看了看时间，离股市收盘还有半小时不到。他打开5号股票的分时走势，已是本周第5个涨停，但涨停上的成交量开始放出，已不如前几天那般在涨停价上成交稀少的局面。

石俭再次拿出专用手机，拨通电话后下达指令："现在5号涨停上还有1万多手的封单，就按它的接盘，卖出1万手。"石俭没挂电话，听到话筒内传来一阵轻微的键盘敲击声后，只见两笔5000手的卖单连续在涨停价上成交。

涨停上还剩余的几百手买单瞬间被蜂拥而出的卖单消灭，股价直线下滑。但股价下滑后持续的时间不到3分钟，又被几笔大买盘推升上去，但已无力再封涨，在3%左右开始了震荡。

"继续卖出，下面有大的买单就给它，一直出到收盘为止。"石俭吩咐。

挂上电话后，石俭翻阅起巫大海选择的适宜转手的股权建议书。荆石公司的股权投资涵盖面广，从小到大可谓五花八门。但石俭基本不涉足创投领域，对于那些主营业务不清晰、市场份额小，还处于培育发展阶段的小型公司，石俭兴趣全无，所以他和南方这家亏损企业弄重组假象都提供不了市场正热炒题材概念的股权。

巫大海所列清单上，除了二级市场参股的上市公司法人股还未解禁流通的部分，基本上有两类股权。一类是未上市公司的股权投资，以餐饮等服务性行业为主；另一类则是已经解除限制可以上市流通的法人股股权。所有列出的股权，巫大海都用红笔写出了购入价格，及中间经过分红送股后摊薄的介入成本，非常详尽完整。

石俭对几家已经可以上市流通的股票逐一看了下收盘价，然后轻轻摇了摇头。确实如岚卉所说，现在去减持股权都是卖在了最低价区域。石俭燃起烟斗，紧锁着眉头动了会脑筋，从清单里几只上市的公司股票里勾出了一个利润最大的品种。然后他拿起电话拨通了公司资管一部的电话。

"小林，这只股票你收盘前减掉个几十万股，还有 3 分钟收市。下周需要继续减，你下周的任务就是给我待在电脑旁，一刻不离地减仓。"石俭报了下股票，吩咐完了继续寻找可以兑现资金的所持股权。

看着看着，岚卉的一席话又突然在耳边响起，石俭灵光一现，把资料锁进抽屉后，直奔岚卉的办公室。

资本玩家

第三十章

"我想到个办法，能不能以你的名义再另外注册一家投资公司，这样既避免了由于我们公司树大招风导致不必要的股价异常波动，又能起到在举牌初期市场影响力不大的作用？"石俭一进门就对低着头写东西的岚卉道。

"亏你想得出。举牌对股价而言，总算是利好，就是涨幅大小的分别，收购成本同样是水涨船高的。再说了，你把钱都打到我名下，不怕我卷款跑路？"岚卉抬起头瞟了一眼石俭道。

"这个我不担心。我真正值得信任的人没几个。大海嘛，外面都知道是我的人，名气太大，这招用不得。而你一直在幕后默默无闻地为公司奉献，就是子公司里，也没几个人认识你，都是老刘和大海在管理。我觉得这办法可行。"石俭带着希冀的目光看着岚卉。

"别用这种眼光看人，我害怕！就算你这馊主意可行，我们私下也要签署个协议，就是实际出资人是你，我只是代为运作。你就做你的隐名股东。这样我也心安。"岚卉端起茶杯，轻轻抿了口水。

"只要你同意，都按你的意思办。下周就可以先把一些手续办起来。我们无需垫资，各渠道都畅通无阻，一个月办下来算慢的了。这边先办起来，那边老刘的信息也会逐渐汇总过来。你看，和你一起尽说工作上的事。明天有个珠宝首饰拍卖预展，怎么样？岚大美女，陪我一起去鉴赏鉴赏？"石俭道。

“怎么？想贿赂我？才不去，明天好好在家睡觉，这几天好累。”岚卉伸了个懒腰道。

“你看，你就不能好好说话？我明天下午去你家楼下接你，你不下来可以，我在下面喊到你下来为止。”石俭笑了笑道。

“赖皮。”岚卉用极低的声音道。石俭没听清楚她说什么，却也知道她没好话，也不计较，微笑道：“那明天下午见，一点。”

次日下午，石俭和岚卉前往市中心的艺术展览馆，那里正在举行珠宝首饰秋拍的预展。石俭穿着随意不讲究，皮肤黑且精瘦，头发也不打理，普通的板寸，一点没有大款的派头，但岚卉身材高挑，气质高雅，穿着华贵。

拍卖行的人见多识广，见岚卉而知石俭的地位，马上就有工作人员主动走上来引领石俭进展厅，并随同讲解。石俭怀中放着的拍卖行总经理盛情邀请的亲笔函都没时间拿出来。

看到第三件展品时，石俭眼前一亮。这是件玫瑰金镶嵌冰种紫罗兰的项链。绿翠作为镶嵌物的较多，且价格由绿的颜色和水头来决定，价格相差悬殊，但用半透明的冰种紫罗兰作为镶嵌物的，见多识广的石俭也是第一次看到。只见设计成花冠形状的玫瑰金上镶嵌着大量的紫罗兰翡翠，使得整件饰品充满神秘和雍容富贵之气。每块紫罗兰都经过精心挑选，不但透，而且几乎没有色差。

“这个应该属于浅紫吧？浅紫的看上去就透，蓝紫的水头就差。我对翡翠研究不多，麻烦你拿出来我看看。”石俭看了眼工作人员道。

“好的，是冰种浅紫。”工作人员见石俭其貌不扬，眼光却很专业，知道碰上了行家。她拿出来后递给石俭，石俭没接，转头看了眼岚卉：“戴上试试。”

岚卉看上去也挺喜欢这条气派非凡的项链。当工作人员小心翼翼给岚卉戴上后，旁边马上有人发出惊叹声。岚卉肌肤雪白，紫罗兰的翡翠本身适合肤白的佩戴。岚卉戴上后，也不知是项链衬托得人更美，还是人衬托得项链更璀璨耀眼。

“石董，您来啦？抱歉抱歉，我刚跑开了会儿，没能在门口迎上您。呀！岚总戴上这条由工艺大师制作的精品项链，真是物美人更美了。”一位穿着时髦的中年女士一边说一边快步走了过去。

"郑老师，这项链标贵了吧？现在经济不景气啊。"石俭道。

"您看您说的，对别人可能是嫌贵了点，对您嘛，这价格适中。"这名拍卖行的负责人道。

"和你商量商量，就这起拍价让给她吧。我们岚经理难得有喜欢的饰品，你看我们都忙，今天做成交易得了，佣金你照收。"石俭道。

"这个，您给我出难题了。虽然最近一段时间珠宝拍卖的成交能有一半标的拍出就算不错了，可是已经公展了，突然拿下不好吧。"拍卖行负责人一脸难色道。

"你别给郑老师出难题。明天我来应拍。"岚卉摘下项链递给工作人员后道。

"那行，我们再转转，郑老师你忙你的。"石俭同拍卖行负责人点了点头，示意岚卉继续参观下去。

等石俭两人走后，拍卖行负责人对身边的工作人员赞许地点点头表扬道："你现在越来越会看人了，幸亏没有一点怠慢之意。"

"郑总您夸奖了。从那男的身上可真瞧不出一点儿名堂，我是看那女的气质太好了，天生有一股高高在上的气势。这个是自然流露，不是装出来的。"那工作人员小声道。

"等拍卖会结束，你对新来的几个同事讲几堂课，这个比学习业务知识更紧迫。做我们这行的，业务知识重要，看人的眼光更重要。"负责人望着远去的岚卉背影道。

"这个翡翠笔洗真漂亮，整件器物只有两只小青蛙及一片荷叶是透绿的颜色雕琢而成，你看这荷叶柄一条绿线，边上都是白色的，雕琢不但要有想象力，这原石也要配合才好。你不是好这口儿？"岚卉看着一个巧雕的白色翡翠笔洗道。

"虽然是巧雕，两只蛙的绿也非常透，但整件器物白翠占了90%都不止，这价格太高了，升值空间不大。这几年翡翠价格连续上涨，现在肯定不是买入的好时点。而股票的估值却在历史的底部区间，我是不会出手的。继续往下看。"石俭眼中丝毫未见流连忘返的神色。

"那你还要我买下那串项链?"岚卉没好气道。

"这不同。摆件是纯投资品，而项链既能当投资品用，却也有使用的价值。戴在你身上，这价值就更往高了去了，没法类比。"石俭瞥了眼岚卉雪白的颈项笑道。

"说得真好听。戴那项链可要穿低胸的衣服来配，我可穿不出那样的衣服，脸皮不够厚，没那心理素质。"

"那就戴给我一个人看，也挺好。"石俭嘴角露出一丝晦涩的笑意。

"去。现在怎么也学会了油嘴滑舌？不怀好意的笑，有冷笑、讥笑、奸笑、淫笑、浪笑、阴笑、狞笑等之分，你现在这种不宜察觉的笑，实在无法找到合适的词汇来形容。文字在这种笑的面前，也会顿时黯然失色。"

"那就算皮笑肉不笑吧。反正都是贬义词，也不在乎字多字少。"石俭屏住笑道。

石俭和岚卉在展厅里兜了一圈，没再看到什么出彩的东西。"时间还早，找个地方喝喝茶？"石俭征询岚卉道。

"不想喝，两个人面对面喝茶，无聊透顶。还是回家看我的书去。"岚卉没好气道。

"你看的书还不够多？都把视力看到这份儿上了，要不是戴隐形眼镜，恐怕也得是酒瓶底了吧？书这东西吧，看得太多就容易钻牛角尖，你这么宅，外面的世界这么精彩，岂不是在年轻时都错过了？不值！"石俭摇了摇头。

"不用你瞎操心！有一天不戴隐形眼镜了，做视力矫正手术去，不是一样能不戴。你不说我还忘了，以往的年假都没用，等这个项目完了，我得出去散散心，你得放我一个月假。"

"行！没问题，那你带不带上我？这张卡你收着，应该能应付明天的拍卖了。藏家和炒家，非绿不玩，紫罗蓝的品种，姑娘家戴着玩儿不错，真要让玩家掏钱去竞拍，极少。如果有人和你喊价，别犹豫，无论什么价都拿下来。今天我们露了脸，那就关系到荆石公司的场面问题了。"石俭说着掏出张卡递向岚卉道。

"面子能当饭吃吗？死要面子活受罪，我可不想出风头，可有可无的。"岚卉带着揶揄口吻道。

"我好像说错话了。就别难为我了，你知道我不善于和女性打交道，不会说话。"石俭满脸痛苦状。

岚卉扑哧一声笑了出来，马上又板起脸道："你也就这一优点，在女色方面，人品不错。我说，你烟能不能少抽点？弄个大烟斗，你学福尔摩

斯呢？浑身都是浓浓的烟味，真受不了。"

"尽量少抽吧，我也想换成纸烟抽，可那劲太小，抽着淡而无味。"石俭道。

"行了，送我回家吧。"岚卉道。

"送你回去后，我去郊外钓鱼，老地方有一群老朋友，一边垂钓一边聊聊山海经也不错，要是能钓上条刀鱼什么的，可比和你在一起吃'语刀'强多了。"

"语刀？新发明的词汇嘛，有前途。哈哈。"岚卉忍不住笑道。

"女子之笑，笑不露齿，为一等之笑。"石俭一脸严肃道。

"去你的。我末等之笑好了吧？快送我回去。"岚卉瞪眼道。

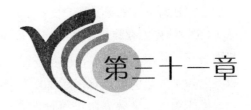

第三十一章

新的一周又开始了。荆石公司平静的外表下，却涌动起激荡的暗流。公司少数的高层都已开始为全面收购股权的行动展开了积极的准备工作。

石俭一大早就来到了巫大海的办公室，公司很多部门员工还未都上班。"石董，今天这么早？尝尝我这大红袍如何。"巫大海边说边起身为石俭倒茶。

"我这两天仔细梳理了一下我们公司所有的股权投资项目，觉得很多投资都很仓促，经不起时间的检验，不说几个毫无赢利的项目，就是微利的项目也不少。投资本身就是追求高回报，我们的战线铺得太长，那些不赚钱或赚不了多少钱的项目，该砍掉的砍掉，尽快套现出来，才能集中优势兵力出击。当然，好的投资项目不但是现金奶牛，公司也都靠这几笔成功的投资，获得较高的年度回报来得以运作。南方那家＊ST公司的流通筹码，上周已经减掉了1/3左右，这周就能减持完毕。筹码出干净了，那块电子行业的股权就尽快找个买主，这么大一笔资金占着，太浪费了。这事就你去办，这两天就可以先物色接手的买家。如果一时半会儿找不到买家，就到产权交易所去挂牌出让。"石俭点起烟斗道。

"知道了。还有什么指示？"巫大海递上造型精致的茶杯道。

石俭接过呷了一后道："这茶还不错。等会儿上班时间到了后，你召集资管二部的人开个会，把这几家公司的股权资料分发给大家，然后让他们分别去找卖主。第一个找到买主并最终顺利成交的，奖金丰厚。卖不出

股权的，调离资管部门，去分发报纸，公司正缺个发报纸的。平时都高薪养着，到了用人之时，不给公司出成绩的，一定要有惩戒机制。"

巫大海点了点头道："3号股票的资金我陆续都汇到了下属子公司的证券账户里，您可以随时使用。5号股票如果减持完毕后，资金转入子公司的账户还是总部的证券账户？"

"5号的先不要转入，我和岚卉商量了下，决定独立公司以外再设个投资公司，从面上看不出和荆石有什么联系。第一个5%举牌线就由这个投资公司来完成。最近这阶段陆续套现出来的资金全都转入这家投资公司。本来想让你也独立出去再设一家表面看来和荆石完全没有瓜葛的公司，但一来荆石确实离不开你，二来嘛，你也知道，你的名气比我还大，绝大多数股权投资都是你在负责。如果以你的名义设立公司进行二级市场的股权收购，等于是昭告天下，荆石又有大动作了。"

"那岚卉要把这里的职务辞了，完全独立出去了吧？"巫大海道。

"暂时应该是吧。如果在荆石还保留着高管的位置，那另设投资公司就多此一举了。"石俭道。

两人聊了会儿股权套现的事后，上班时间快到了，石俭便回办公室。他看了看清单上还剩下的几个需要变现的项目，拿起电话拨通了资管一部。"小林，你到我办公室来下。顺便把上周五卖出的成交回报单打印一份给我。"

过了一会儿，响起敲门声。"进来。"

门开后，进来一个30岁左右的年轻人，只见他外貌还算清秀，但脸色有点白里带青，神色间隐有一股孤傲阴鸷之气。

"石董，这是打印的成交回报单。只成交了30万股，已经把股价打下去不少，接盘太小了。"小林道。

"嗯，这周不管你用什么办法，都要想尽办法给我减仓，但不能把股价打压得太厉害。这阵子凡是我们公司持有的股份，多多少少都给带起来了一点。这份是公司股权投资的资料，你的两个助手最近也没什么活儿干。你分派他们出去找买家，虽然他们这方面的人脉资源不足，和二部不同，有些勉为其难，但我这没有硬指标，让他们努力就行。"石俭说完，递给眼前的白脸书生一份资料。

"好的。减持这只股票我一人足矣，我回去就让他们动用一切资源找买家去。那石董我回去守着盘了。"小林说完退出了石俭的办公室。

小林一边看资料一边往电梯走去，正看得入神，在电梯口一不留神撞到了从里面走出来的人。只听"哗啦"一下，一大堆东西掉在了自己脚下。小林忙集中精神，望向地面，是一大堆的报纸和杂志，"不好意思！"只听一个年轻的女声道。他抬头一看，只见一个美丽女孩略带羞涩地对他点了点头，便俯身捡拾散落一地的报纸。

"我看东西看入神了。你是新来的？"小林说完，也弯下腰去帮她一起捡。

"是的。余姐说，发报纸也是我们的事，我刚来还不熟悉环境。"女孩红彤彤的脸颊显得分外可爱。

"哦，是公司前台吧。走廊尽头是公司董事长的办公室，送报纸去一定得敲门。如果不应，把报纸放在门口倒是可以，切忌不能自己开门进去。我姓林，公司资管一部的。"小林说完，点了下头，进了电梯。

女孩整理好报纸后，就径直往石俭的办公室走去。她忐忑不安地靠近紧紧关闭着的门，然后鼓足勇气敲了敲门。

"请进。"门内道。

女孩扭开门把手轻轻推门而入，看了眼坐在宽大办公台后面正聚精会神看文件的石俭，顿了顿才道："董事长，今天的报纸。"

石俭一听声音和平时的不同，抬头望了一眼，认出是被自己救起的女孩，连忙微笑着点头道："小云是吧？来来，把报纸杂志拿过来。报纸角上都写好部门名称和个人名字的，你今天是第一天分发报纸吧？"

"是的，余姐让我来送，说这样能很快熟悉部门和同事。"小云说完，便在一堆报纸中搜索起来。

"怎么，我这里还是第一家？小余告诉你的吧？"石俭接过几份报纸杂志后，挑出一份杂志翻阅起来。

"对啊。余姐说董事长要第一个送，说您要及时看新闻和找信息。"小云盯着石俭手上的杂志仔细看了看。

"这是多年养成的老习惯。小余在我们公司也算老员工了。你住得还习惯吧？有事你就找老刘或小余都行。"石俭认真看着杂志的其中一页，一边却和小云闲聊。

"都很好！大家都对我很好。那我去发报纸了。"

"你等下。今天交给你个任务,这本杂志看到没,你发完报纸后,便找公司的司机孙师傅一起出去,把城里能买到这杂志的地方都跑一遍,有多少就买多少回来。哦对了,钱你先拿去。"石俭指了指杂志,然后从抽屉里取出一沓钱递过去。

小云仔细看了下杂志,点点头道:"记住了。凡是有这本杂志卖的地方,就都买下来对吗?"

"对!去办吧。别忘了和小余打个招呼。"石俭道。

石俭望着她青春活力的脚步,突然想到了远在国外的女儿。但勾起的念想很快又被杂志上的文章吸引了去。他边看边点头,心道:无论是大海还是老刘,这两个一同和自己在资本市场拼杀多年的左右手,都是不可多得的人才,就是找个人写这类软文,也是文采出众,字里行间的引导性极强。

看完文章后,石俭打开公司下属子公司的几个账户,3 号股票所套现的资金已经都转了过来。石俭想了想,还是决定由自己来完成这几个账户的建仓行动,暂时不让下面的资管部接手操作。

石俭首先在上一交易日收盘价 4.75 元上挂出了 1000 手的卖单。他想看看盘中有没有主力在里面。如果这 1000 手卖单被一扫而光,那也不可惜,等会可以用更高的价格捡回来,但已经可以试探出盘中有无规模资金潜伏。

他把几只需要减持套现资金的品种设了个自选股菜单中,然后等待集合竞价阶段的到来。刚到集合竞价阶段,自选股上的几只品种全部出现了翻红的高开状态,虽然还没到正式开盘时间,但显然这篇文章起了一定的作用,荆石公司所持有的品种独立成一个题材板块,市场将其看作一个"系",平时的联动性就比较强。

而自己挂出 1000 手卖单的这只 1 号股票,在竞价阶段就开始翻绿。

石俭打开公司本部的网上交易账户,除资管部小林负责套现的那只股票外,分别对另外几只股票进行了挂单卖出的操作。他今天准备一边出这几只股票,一边建仓 1 号股票,有点想重新找回出道时当操盘手的感觉。

他正聚精会神看着屏幕,桌上的固定电话响了起来。

"你到我这来一趟吧,我把卡还你。"岚卉在电话中道。

"卡就放你那吧。我现在跑不开。等会说。"石俭说完就把电话挂了。

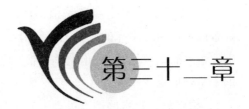

正式开盘后，准备卖出的几只股票平均高开了3%左右，石俭挂出去的卖单除一只没到达卖出价而没成交外，其他的卖单全部成交。石俭立即又对着几只股票买一到买五上挂出的大买单申报出对等的卖单。等卖出委托全部申报后，他才回过头来看1号股票。

1号股票并没有在上一交易日的收盘价4.75元开盘成交，而是在石俭挂的4.75元大卖单以下以4.72元低开。石俭看到在他挂出的1000手卖单价位上还多出100多手零星卖单，而在4.74元上则有几十手的零星卖单。

石俭先报了笔4.74元的小买盘进去，又在4.61元处挂了1000手买单。

这时，他听到门被打开的声音。石俭知道是谁，公司里除了她没人敢不敲门就闯进来。"挂我电话是吧？"岚卉边说边走到石俭身旁，"啪"的一声把卡拍到桌上。

"坐坐，项链买了没有？你看我这不是忙着嘛。"石俭迅速拖过一把椅子，拉了下岚卉，又认真看起交易来。

"怎么？自己赤膊上阵了？"岚卉坐了下来，看了眼股票名称。

"嗯。初期建仓还是自己动手，等你那边执照办下来可以开仓，我还不知道找谁来操盘，越保密越好，少了乘船坐轿的人，做起盘来就轻松些。问你呢，项链买了没？"石俭看到已正式开盘，4.74元的几十手买单

成交后，在 4.73 元处又挂出了 100 多手卖单，连忙申报进一笔单子，把这 100 多手卖单先扫进。

"买了。你出钱我为什么不买？就是一直有个女的和我竞价，举了几次牌加了几次价才拿下来，亏大发了。"岚卉没好气道。

"只要喜欢，多出点还是值得的。这世上哪有件件事都称心如意的？好东西自然有好眼光的人看上，价值也就体现在这里。有时间要仔细研究下你戴上时的效果。"石俭有些手忙脚乱，边说边频繁地换账户买进卖出，但不忘调侃岚卉一句。

"你看你，都有些忙不过来了，不是小年轻啦。"岚卉马上顶了一句。

"确实是老了，思维和动作开始不协调起来。有的账户要卖出，有的账户要买入，都差点报错价。"石俭看着正式开盘后已经过了几分钟，那笔 4.75 元的卖单一股都没成交，想了想，马上把这笔卖单撤了。等撤单交易成功后，直接申报 4.61 元的卖出价，1000 手卖单直接砸到自己下面埋着的 1000 手买单上。由于在 4.61 元到 4.73 元之间有一些零星的小买单，4.61 元上的买单只成交了 800 多手。

"这 4.61 元的单子也是你挂的吧？这样一倒腾，筹码反而少了 100 多手。"岚卉看着石俭查询成交回报就讥笑道。

"不急，自会有忍不住的人把筹码扔出来。这不，你看，4.68 元上挂出来 200 多手卖单，4.65 元上有 80 手。"石俭边说边以 4.68 的价格申报买入 300 手，延迟几秒后，只见分时成交上的股价马上从 4.61 元跳升到 4.68 元。

"这样一折腾，筹码不是多出来近 200 手？这饭要一口口地吃，收集筹码也要一笔笔地来。等浮动在外的日常流动筹码捡拾到一定的量，盘口的话语权也就随之增加。"石俭转过头看了岚卉一眼。

"有一点的是好的，做了这行的，倒是永远不会颓废和消极。"岚卉眨了眨眼。

"哦？为什么？你说说。"

"因为欲壑难填啊！永远被无休止的欲望推动着、诱惑着、牵引着，沉浸在自己编织的幻想中，哪还有时间顾得上消极和颓废，对吧？"岚卉刚想笑出来，突然想到什么似的，赶紧捂住了嘴。

"说正事。你得准备好一笔款项作为注册验资之用。今天我就去跑相关部门。还有，你看公司叫什么名称为好？"岚卉道。

"资金今天就能到位，到时由大海和你直接交接。公司名称要起得气派些，最好是让人过目不忘。大才女，你给起一个。"石俭道。

"起名这事我可不在行。荆石这名就起得不错，有荆有石的，前途一片坎坷，但披荆斩棘，搬掉挡路的石头，就一马平川了，意味着荆石人不怕困难、迎头而上的创业精神！你说是不？"岚卉笑盈盈地瞥了眼石俭。

"被你这么一正题歪解，听起来倒也不错。那新公司就叫山风资本吧，山风强劲，但我们宁折不弯，顶着山风迎头痛上。你说怎么样？"石俭几乎没思考就起了个新公司的名。

"哟，反应还挺快。把我名字拆开来就整出一公司名。你起名确实有几把刷子，以前那些重组成功的公司，被你改头换面整个适合市场热点的好名字，不费什么劲就疯狂好一阵。把握市场喜欢什么冷淡什么，这中间的诀窍和'学问'都被你摸透了，可是当之无愧的高高手。"岚卉眯起眼微笑道。

"你说的这些话，我就当补药吃了，虽然知道你言不由衷。这名字叫起来挺响亮，很有气魄，就用这个吧。"石俭起身，轻轻拍了下岚卉的肩膀。

"嗯，你继续倒腾你的筹码。真不知道这么大的动作，是否值得！今天眼皮怎么老是跳个不停？"岚卉摇了摇头，径直出门而去。

石俭可没这样的感觉，他精神抖擞地重新坐回电脑旁，连续切换几个子公司的账户，继续用上周买入的筹码进行小规模的打压吸筹。

小云回到公司的时候，已过了12点。从车里下来后，她就去提被杂志塞得满满的大袋子，可怎么也提不下车。

"小姑娘，还是我来吧。今天跑了一上午，买了这整整两大袋杂志，还是一色的，累极了吧？"孙司机把两大袋杂志提下车后问小云道。

"还行啊，转了这么多地方，不知拐了多少个弯，找了多少个书报亭和书报摊，您不一样累啊？我去找余姐来搬一袋，您帮忙提一袋放到前台就好了。"小云说完，气喘吁吁地跑进公司大堂。

"这么重？是大老板让你买的？"小余和小云抬着一大袋杂志放到前台边后，小余问道。

"是啊，几乎把邑城市区都跑遍了。幸亏我们的城市不大，要不，还不得跑一天！"孙司机扛着另一袋子的杂志走过来替小云回答道。

"孙师傅先放这儿吧。小云你先去吃饭，再晚食堂就休息了。"小余看着两大袋子杂志道。

"不先送上去吗？"小云问道。

"没事，等会儿我叫人来拿上去吧。石董这会儿应该在午睡，不好去打扰。"小余道。

"那好吧。"

食堂里只有一个人在用午餐。小云要了份套餐后，就坐到靠窗的位子吃了起来。也许是上午运动量过大，小云大口地吃了起来。

"吃这么香？我却是没什么胃口。"那个独自用餐的人，端着不锈钢的餐具坐到了小云的对面。

小云正狼吞虎咽，听到对面突然有人说话，脸一红，迅速抬起头看了对方一眼。见对面正是上午和自己撞了满怀的那人，"原来是你啊，怎么吃得这么晚？"

小林道："今天看盘入神，研究的时间久了一点，所以晚了。"他一边说话，一边不断从镜片后窥视着小云，不是那种大胆地凝视和注视。

"哦，什么叫看盘？研究什么？"小云一脸好奇。

"你不懂？我们公司是资本市场赫赫有名的公司。凡是到我们公司的新员工，无论什么岗位，至少知道公司是做什么的。"小林一脸奇怪地瞄了眼小云道。

"我真不懂！你给我说说嘛。上午好像听你说是资管一部的，资管是什么？"小云见小林奇怪地看了自己一眼，脸又一红，没好意思再大口吃饭。

"真不知道的话，我就讲给你听。我们公司以股权投资为主，很少介入实业运作，即便拥有餐饮这样服务性行业的产业，也都以出资入股或购买其他法人转让股权的方式来获得股本分红，一般不向所控股参股的这类企业派出管理人员。公司有资产管理一部和二部两个部门来管理公司的各类股权投资资产。我的一部以上市公司的股权管理为主，二部以非上市公司的股权管理为主。既然是上市公司的股权，就有日常的交易，看盘通俗讲就是看股票行情，这个懂了吧？"小林道。

"哦，炒股票我知道点，我们高中的老师就有很多炒股的。"小云说完，忍不住扑哧笑了一声。

"那能比吗？我可是职业的，你说的那叫股民。不能比不能比。"小林面带得意。

"是吗？那等会儿你带我去见识下你的看盘办公室，我看看不同之处在哪？"小云面带央求表情道。

"这个可坏规矩。被上面知道了可不好！"小林面带难色地瞥了眼小云道。

"看看有什么大不了的？上午我还在石董办公室待了好一会儿呢！都怕他，可我见他脾气很好啊，对我说话一点不凶，很和蔼呢。"小云说完，脸色一板，自顾自低头吃饭，再也不看小林一眼。

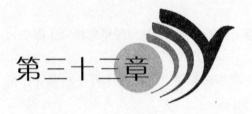

第三十三章

"那好吧，就带你参观一下。今天几名同事都被派出去办事了，办公室只有我一个，下不为例哦。"小林见她生气越显可爱，连忙道。

"那这就走吧，我吃好了。"小云放下筷子，站起身道。

小林带着小云来到了二楼的资管一部。推开门，小云马上轻轻"呀"了一声。"这么多电脑显示器，我以前在电视上看过，和美国那什么街差不多呢。"

"是华尔街吧？你看这边6台电脑分上下两排，每排3台电脑，是特意定做的架子，方便我们看5到60分钟的分时指标。哦，说了你也不懂。随便拿张椅子坐吧，离下午开盘还有一会儿，正式开盘就没时间和你聊了。"小林道。

"都是一只股票啊？"小云站在6台电脑前，指着这几台电脑道。

"对。"小林简短答道。

"看得眼都花了。你很懂股票吧？什么时候教教我呢，我也想赚钱！以后拿了工资都存起来，攒点本钱。"小云望了眼小林道。

"在公司里教可不行，被老板发现了，或者被其他同事去打小报告，我饭碗都不保。到我家还行，我家里的设备也不比公司差多少。"小林眼中快速闪过一丝狡黠。

"好啊。等在公司的岗位得心应手了，空下来就向你请教。"小云道。

小林刚想说什么，办公室的门被打开了，随后一个低沉的声音从门口传了过来："小林，进展如何？"

小林顿时一脸慌张，神色紧张地站了起来，然后拉了一下小云，示意她快站起身。

"哦，有人在啊？"石俭进门后，看到小林不知所措的神色，又看到边上的小云，怔了怔后道。

"石董。这是找您的钱，杂志我都买回来了。"小云神色自然地掏出一沓钞票，走到石俭跟前双手递了过去。

石俭点了点头，接过钱后道："辛苦你了，小余都向我汇报了。年轻人肯吃苦就有出息，没什么事的话，你回岗位吧。"

"好的，董事长再见！"小云说完便跑了出去。

石俭看了眼小林，没说话。小林连忙辩解道："董事长，是她缠着我非要来看看的，说是想熟悉公司每个部门的情况。"

"公司的规章制度谁都要遵守，特别是资管一部，三令五申其他部门的员工不得来串岗。你看你电脑全开，这还是在卖出股票，如果是建仓初期，走漏消息你负得起这个责吗？想讨好女孩子用其他的办法，给你开高薪是让你花的，不是让你带人来显摆的。话就说这么多，下次再发现这种情况，你就另谋高就吧。"石俭板着脸道。

"我错了。保证没有下次。"小林低着头道。

"这只股票出了多少？打开今天的成交回报让我看看。"石俭走到电脑旁道。

小林迅速打开账户的成交回报明细，按了下汇总键后道："不敢主动抛，只能一点点出。接盘不多，今天上午算是有点短线资金进去，我们公司的持股，今天普遍有所上升，这只股票也被带了点起来。"

"这是今天媒体有对公司的报道所致，不过是一天行情而已。加起来不过卖出了30%左右？下午压低出货吧，只要不封跌停，能出多少是多少。随时向我汇报成交情况。"石俭说完，扬长而去。

小林见石俭出去后带上了门，才长嘘了一口气，摸出手帕擦了擦额头的汗珠。

石俭回到办公室后，资管二部的负责人就带了个年轻人来汇报工作。

"石董，我们部门的小吴联系到了一个买家，是对我们公司的一笔餐饮行业的投资感兴趣，具体的情况还是让他来介绍。"二部负责人指了下

身边的年轻人道。

石俭看了下年轻人，扬了扬下巴示意他说。

"事情是这样的。我接到这个任务后，首先想到了我的舅舅。他自己有一家企业，现金流比较高，一直想投资搞餐饮，但规模太小的又没什么兴趣。我接手到的股权，属于全国连锁规模的餐饮企业，我推荐给舅舅。他很有兴趣，想直接和您谈谈股权转让的细节，也想和您见见面，说正好有机会结识一下您。"小吴道。

"那行。今晚你看可以吗？你去联系一下，就在金湖俱乐部吧，晚上你也来。"石俭温和地对小吴说。

"好的董事长，我这就去联系。"小吴道。

"这个你带些下去，分发给部门里的各位同事。有我们公司的大篇幅报道，不够再到我这来取。"石俭从两大包杂志中抽出一沓递给资管二部经理后道。

等两位下属离开后，石俭拿出准备套现的股权清单，用计算器反复计算了几遍，微微摇了摇头，自言自语道："缺口很大。"他站起身背着双手，来回在房间内踱着方步，双眉拧成一股。

正当他低头想着资金缺口问题时，桌上的电话响了。"哦，是李董事长啊。嗯，最近公司实在太忙了，分不开身啊。签署重组框架协议？这个急了点吧？贵公司的债务豁免进行得怎么样了？历史遗留的账款要及时清理嘛……我知道，保壳进行时，时间不多了。贵公司要拿出个具体的方案来，我公司进行资产注入是极限了，债务清理要贵公司的大股东或者当地国资来完成，我们不能担这个风险。"

石俭一听是那胖董事长的电话，头都大了。他一边在电话里和胖董事长敷衍，一边打开了这家＊ST公司的分时成交图。只见它量能异常放大，股价在上一个交易日上下来回震荡。终于结束了通话后，石俭自言自语道："这个协议一签，除非有关部门限制重组的实施，不然是不得终止履行协议的，想得倒挺美。"然后他便拿出专用手机拨通了电话。

"5号股票还剩多少？"石俭问道。听到对方回答后，石俭立即下达指令道："今天这么大的量，正是清仓的好时机。不用计算5%以内的得失，收盘前全部出清吧。也就1万多手的筹码了，这量顶得住，不用打到跌停就能出完。行动吧。"

石俭挂断电话后，继续打开 1 号股票的分时走势图。看了一会儿，便打开账户，用已经获得的筹码进行了几笔对倒打压，但吸货的进度令他很不满意。由于市场本身处于震荡行情之中，而低价股在这一阶段的表现明显好于高价股。这只股票 4 元多的股价，在公司没有任何利空消息的出台下，很难把股价打压下去，盘中逢低吸纳的小买盘不断。

向上扫了几笔稍大的买盘后，1 号股票的股价迅速翻红。石俭觉得盘口很轻，主动性卖盘在这只股票上已经衰竭，如果采取大单压制股价的模式，然后在大卖单的价位下吸货，就会过于明显，弄不好辛辛苦苦收集来的数量不多的筹码压出去，被人几笔买单扫掉，那就得不偿失了。

眼下这股票从 4.78 元到 4.90 元之间，只有很少的卖单挂在那儿等成交，价格之间存在较大的空当。这就表明已经没什么散户肯在这个价格上主动性割肉。石俭通过几天的盘口观察，觉得此股根本没什么主力资金在内，就连像样的大户都未必有。这反而坚定了他对公司这块隐蔽资产的垂涎。

石俭打开自选股菜单，上午几只已经卖出一部分的公司持股，被他在集合竞价后的连续抛盘卖压后，股价全天表现不振，不但把高开涨幅全部抹平，股价还全部被打成翻绿。

看着大市上涨个股远多于下跌个股的市况，石俭点燃烟斗，深吸了几口烟后，挑出其中一只持股周期较长，已经经过几次大比例送转股后成本极低的品种，打开交易账户开始大举卖出。

到 2 点 59 分时，石俭申报了一张价格为 4.95 元的 500 手买单，1 号股票在这笔买单的推升下，报收在 4.95 元的价格上。

收市后，石俭统计了下交易情况，一天下来，兑现了几百万的资金，买了 1 号股票 20 万股左右。所有子公司的账户上总共持有 1 号股票不足 100 万股。石俭一边翻着密密麻麻的成交回报，一边叹了口气，心道，只有大市出现一波恐慌性抛盘，才会带出多杀多的筹码，这样吸筹成本才能保持在一个较低的水平。像目前这种箱体震荡格局，短线客都紧盯放量个股，一旦自己采取凶狠的拔高建仓方式，肯定会迎来不少跟风盘，持股成本就无法控制。

看了会儿大盘后，石俭觉得这个箱体运行也有一段时间了，指数进入三角形整理的顶端后，必会选择突破方向，而整个大势的下降趋势并没逆转，突破的方向应该是向下。

他关了电脑，锁上门后，就往巫大海的办公室走去。

资本玩家

第三十四章

"大海，晚上一起赴个饭局。资管二部的小吴把自家的亲戚都找来了，我看这笔股权的转让靠谱。"石俭看巫大海埋头在一堆文件里，便开门见山道。

"那好，能套现一笔是一笔。这低迷的市场，连带股权转让都冷得让人心生寒意。场外并不缺钱，关键是都持币观望，捏紧了钱不敢投进来。"巫大海起身让座。

"大海，我寻思着，靠非上市的股权变现，周期比较长，寻找买家容易，但要期望好的卖价就比较难。我们公司已经很久没有非公开地募集资金进行理财投资了，光靠公司目前自有的资金来完成举牌控股，资金上有缺口。你看，如果以我们公司的牌子来募集资产管理的资金，能募来多少？"石俭道。

"我也想到了这一层，就想着和您说这事。一直以来，主动找我们公司代为操盘的客户就不少，小规模的就不去说了，上亿元的我都碰到过。就是您一直控制这方面的业务，所以公司这块业务基本就没开发。"巫大海有点惋惜道。

"也幸亏控制着没有介入这块领域，要不，这轮熊市下来，把公司自有资金都搭进去。但现在情况不同了，经过这么长期惨烈的下跌，股市的泡沫被有效挤压，虽然可能离大底还有时日，但风险已经处于可控状态。那些几十、上百万的资金不能接，影响你的操作不说，还无法理解你的运作思路，真要动这块奶酪，也要设置个高门槛，企业资金要比个人资金强，大资金要比小资金稳定。"石俭道。

"那是自然，我也倾向于募集企业资金，自然人的资金能不碰还是不碰。事比较多，不好管理。"巫大海道。

石俭点了下头，顿了顿后道："公司自有的资金全部往岚卉的新公司调集。募集的资金作为第二梯队，这个大思路就这么定下来吧。只等老刘那边的情报准确传递过来，你就可以去做这个事了，但愿以荆石的知名度和市场认同度，能募来几个亿的资金。"

"老刘还没信息反馈回来？至于资金募集，石董您放心，绝对不会令您失望。不是我令您失望，而是您的拥趸不会让您失望。"巫大海笑着说。

"老刘办事沉稳细致，不急于求成，喜欢把事做得滴水不漏。这种追求完美的性格，有时是优点，有时也有弊端。但我绝不会去催他，他有自己的一套。"石俭道。

两人又就募资的事项讨论了一会儿。石俭看了下手腕上的电子表，对巫大海道："时间不早了，我们这就去金湖。好久没打乒乓球了，正好还有些时间玩几局。"

"我可打不过您，肚子上赘肉越来越多，玩几局就气喘吁吁了。"巫大海笑道。

两人在金湖俱乐部打了几局乒乓球后，巫大海已经有点上气不接下气，额头上汗如雨注。"行了，不打了，看把你累的。你就是缺乏锻炼，应酬多酒喝得多，不锻炼，身体就顶不住。小五，走，去你办公室坐会儿。"石俭看客人还没到，就对陪伴在身旁的俱乐部老板小五道。

"老板，今天不用外面找几个陪唱的吗？我们这的可都是庸脂俗粉。"小五笑嘻嘻说道。

"今天请的客人，有舅甥关系，所以那套东西不能用，懂了吧？"巫大海笑着道。

小五摸了摸胖胖的光脑门，"嘿嘿"笑了几声道："懂懂，宴会厅都准备好了。凡是董事长亲自会客的，都是重要客人，不敢怠慢。"

"小五跟我有5年了吧？时间过得可真快。"石俭看了眼小五道。

"5年多了，都是董事长赏我碗饭吃！呵呵。"小五眯着小眼回答。

"您看，他现在多会说话。那时就知道和人打架，现在还练摔跤吗？"

巫大海道。

"练! 不练哪行, 就是不找人摔了。现在换成摔沙袋, 肌肉才不会松下来。"小五说完, 做了个展示手臂肌肉的动作。

石俭和巫大海同时笑出声来。这时, 餐厅领班打电话来告知客人已经到了。

"欢迎! 欢迎!"石俭一进宴会厅, 就对资管部小吴身边的中年人打招呼道。小吴轻声对中年人说了几句。

"石董事长, 久仰大名, 我这外甥时常提到您。可我还是第一次见到邑城大名鼎鼎的您。"中年人站起身后与石俭握手寒暄。

"您坐您坐, 不要客气。这是我们公司的巫总经理。"石俭指了指巫大海道。"久仰久仰!"中年人和巫大海握手道。

众人闲聊了一会儿, 中年人打住话题后道: "石董, 股权资料我都详细看过了, 很符合我的胃口, 今天我们就把转让价格定下来, 明天就能签署股权转让协议。我和公司的管理层下午开了个会, 这家餐饮企业走的是廉价路线, 而且店面的位置集中于商务区, 做的是中低端套餐, 虽然竞争是比较激烈, 不过我看报表上现金流还是非常充沛的。这笔股权和另外一个股东持股数相同并列第一大股东, 您怎么没考虑再购买一些自然人出资部分的持股, 达到控股的地位?"

"不瞒您说, 我们荆石公司的股权投资战线过长, 这个小吴应该也和您说过。很多股权投资, 我们都派不出相应的管理人员, 从而导致有些控股参股的企业管理混乱。我办公司用人的原则就是精简, 一个人能干几个人的活, 但薪水要高出同行很多。最近公司需要收缩战线, 把铺得太开太广的面收拢起来, 专注于股票二级市场的壳资源的'回收利用'工作。以前过于粗放式的投资要加以改进, 所以才把公司不熟悉行业的股权陆续转让出去一部分。"石俭谦虚道。

"您太客气了, 荆石公司向来以股权投资眼光超前而著称, 很多经典的股权投资案例对我们这些搞实业的人来说, 都是很好的学习教案。我这次受让这笔股权, 倒不是为了纯粹地获得股权投资回报, 而是真想介入到快速餐饮这个行业。我们企业的现金流较强, 能把这家企业的控制权拿下来, 对我们进入餐饮行业是次契机。您看, 6000 万的转让价格是否能接受?"中年人道。

石俭和巫大海都不露声色。石俭做思考状沉默了一会儿，然后点点头道："成交!"说完向中年人伸出了手。两人握了下手后，中年人又道："听说荆石公司从不替人管理资产，石董事长有没有这方面的想法?"

石俭点点头道："确实这方面的业务现在基本不涉足。公司在初创时期，因为要快速地积累资本，这方面的业务其实才是公司的发展源泉。那时小吴还没来荆石，我和大海他们几个，就是以资产管理起家。那时候给我们的客户带来了丰厚的回报，也使荆石得到了快速发展。"

"如果贵公司有资产管理方面的兴趣，我相信会有不少的大额资金需要找荆石来代为管理，达到保值增值的目的。我这倒有一些闲钱找不到出路，如果贵公司能代为管理就好了。"中年人凝视着石俭道。

"公司暂时还没这方面的打算。但如果真的要搞，也是以公司的名义专门设立一个账户募集一部分资金进行操作。如果只是以出资方的账户为基础代为管理操作，一是资金分散力量就薄弱，二是在流通股股东名单上显示不出荆石公司在运作，市场影响力会大打折扣。"石俭看了眼中年人后又看了眼巫大海。

巫大海马上接下去说道："我已经多次给石董提过这个建议。一是有求于我们公司的大额资金一直不少，二来嘛，运作得好，也会给荆石带来一笔可观的管理费。可石董觉得，公司现在的规模已经不小，但人员没有扩充，再要运作大规模的资金，有些力不从心。而且真要实施，这个资金的门槛会很高，出资额大，客户数量少，就便于及时的沟通。所以这事也就没提上议事日程。"

"说得有理。和几十上百个出资人去沟通比和一对一或一对几的出资人去沟通麻烦得多，到时还可能出现中途撤资的情况。"中年人点点头道。

"虽然出资时也会签署相应的契约合同，制定一个管理的期限，但合同归合同，真要撤资不让撤或不方便撤，来公司大炒大闹就比较麻烦，肯定会影响我们的运作，对操作带来影响就妨碍了其他出资人的利益。"巫大海继续道。

中年人点点头，站起身道："那不耽误石董事长的时间了，明天我就派人去贵公司签署这个股权项目的转让协议。如果贵公司什么时候有设立对外资产管理的计划，那不妨让我外甥及时通知在下，一定要给我留点额度。"

石俭也站起身笑了笑道："您快人快语，要是办所有事都碰上您这样的爽快人就 OK 了。"

石俭和巫大海走向停车场的时候，巫大海透着一丝兴奋道："没想到谈得这么容易。这笔股权投资的利润接近翻倍，而且还留了个后招，多了个以后募集资金的客户。"

"他急于想进入餐饮业，这么现成的股权当然要拿下来，肯定对市场上的行情调研得比较多了。公司得奖励下小吴。"石俭道。

"重奖之下必有勇夫，奖励一个会激发其他员工的士气。"巫大海点头道。

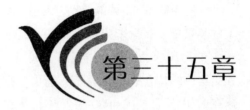

第三十五章

周二上午，石俭在公司会议室忙完这笔股权转让协议书的签署后，回到了自己的办公室。

他打开电脑后，看了看1号股票的表现。还是波澜不惊的走势，成交稀稀落落的缺乏弹性。昨天收盘前被一笔500手买单拔高的股价，在上午没有继续买盘的推升下，直接就低开在4.90元上。从卖一到卖五上的卖单加起来不足200手，买一到买五上的买单加起来倒是超过了300手。

石俭又看了看需要套现的几只股票，经过昨日早盘的"半日游"都不到的冲高回落后，这几只股票也呈现出涨跌无序的无人关注状态。

几个子账户上还有大笔没用完的资金，以1号股票股价维持目前价格上计算，全部用完大概能持有它800万股左右，正好达到公司总股本的1％。石俭心道，800万股筹码基本能控制短线的股价运行节奏进行做盘了。就是这800万股的筹码收集起来比较困难，想快速完成任务，就需要拉高建仓。把股价控制在一个区域内不出现大涨，那就需要时间的积累，每天增加一点筹码集腋成裘。

他燃起烟斗，先把卖五以内的卖单一笔扫光，然后连续以50手的小买盘，一分一分地不断向上推升股价。

当推升到4.99元时，在5元整数关口突然挂出了700多手的卖单。石俭想了想，并不急于把这笔卖单扫掉，尽管有些眼馋，他还是忍住了。

他先在4.99元处挂了张1000手的买单，然后一笔把股价打压至4.90

元，由于本身波动较小，分时图上股价呈"直线坠落"态势。这笔大单杀出后，在 5 元整数关前陆续又挂出了一些小卖单，石俭迅速又申报了一笔 5 元的 1000 手买单，直接把股价打上了 5 元整数关，那笔 700 多手的卖单被他一扫而光。

这笔 1000 手的买单杀入，使盘面中日常看盘关注此股的 T + 0 资金有了些小兴奋，石俭未申报一笔买单进去，股价便被小买盘推升到了 5.08 元，在 5.10 元上又有人挂出了 200 多手的买盘。石俭看了看几个账户可挂出卖单的持仓数，然后先一笔买单把 5.10 元上的卖盘扫掉。扫掉后迅速在 5.01 元上挂出 4000 手卖单，又在 5.02 元上挂出了 5000 手的卖单，这两笔卖单，已是他的全部"家当"。

石俭挂出后猛吸了一口烟，心道，能够扫掉这两笔卖单，就很可能是个陷阱，自己就停止买入。

他观察了 10 分钟，5.01 元上的 4000 手大卖单被零星的小买单买掉了 300 多手，一直没有大买单扫货。于是，他打开网上交易账户，先在 4.91 元到 5 元的十挡价位上分别挂出 300 手的买单，然后撤掉 5.01 元上的 3000 余手卖单，换成了 4.91 元的价格。

股价被打至 4.91 元后，石俭看了下回报，买进卖出加起来，共失去了 600 多手筹码。他立即把 5.02 元上的 5000 手卖单撤了，直接一笔以 4.90 元的价格申报卖出。这 5000 手已是今天可以卖出的额度上限。

1 号股票在石俭连续 2 笔近万手的卖单杀出后，短线资金纷纷偃旗息鼓，石俭在 4.89 元至 4.85 元之间连续递进的小买单快速成交。

收集到 300 多手零散筹码后，石俭撤掉 4.90 元上还剩 4 900 多手的卖单，又以 4.85 元的价格申报了 3000 手的卖单。然后，他在 4.78 元至 4.85 元之间递进一些买单后，用还剩下的 1 900 多手筹码直接申报了一张 4.78 元的卖单。

石俭短时间的连续大单压盘和杀跌，造成了一种盘口持有大量筹码的主力想出逃的假象，短线盘略有恐慌。在石俭压出的大卖单价格以下，越来越多的卖盘开始出现。石俭不慌不忙连续以小买单接货，每接一段时间，等抛盘开始观望时，他又把所剩余的当天可卖出股份集中在一张卖单中往下打压股价。当股价被压制到 4.70 元时，已经较昨日收盘价下跌了近 5%。

看了看跌幅，他停止了往下砸盘杀跌的动作。石俭知道，再往下杀，可能会引来短线抄底盘和倒 T + 0 操作盘的拾回补进。于是他只在 4.75 元封了 1000 手的卖单后，便在 4.70 元至 4.74 元间分批报了一些买盘进去。

在接下来到上午收市的时间段里，1 号股票的走势始终成一条平线状运行。既无杀跌盘大举卖出，也没抄底买盘迅速进场补货。石俭看了下买进卖出的成交汇总，一上午只多出了 20 万股左右的筹码，其中的 2 万多股成本还买在了上午最高价 5.10 元上。

石俭关了电脑，正准备去食堂吃午饭，电话响了。

"岚卉，你还在外面跑公司注册的事？哦，名称已经核准了，公司的选址？你看着办吧，高挡写字楼租金贵，但以后万一举牌，公司就变成透明的了，办公地址气派一些也有好处。如果想低调些，那么找个像荆石这样的普通办公楼也行。"石俭道。

"真不知道这么折腾值不值得！老刘那边有消息反馈过来没？"岚卉在电话里问。

"还没有，这个不急，反正我们现在也处于收集底仓的阶段，一时半会儿筹码也拿不了多少。注册一家公司的注册资本金不多，运营成本也不高。公司最近准备套现的一批股权，都是经过选择、成长性不是很高的品种。公司持有的股权投资太过分散，优胜劣汰一下也是好的。今天上午套现了一家公司的股权，回报基本接近翻倍，比拿那点股权分红强多了。套现出来的资金，如果不去控股这家公司，也有其他的标的可供选择，现在市场属于遍地是黄金的阶段。"

"那我就租写字楼了。注册资本金的事到时就直接和巫大海联系。"岚卉说完就挂了电话。

下午开盘后，石俭继续在 4.70 元之上耐心吸纳筹码，一直吸纳到离收盘还有半小时，他连续申报了几笔大单，直接把 4.90 元之下挂着的卖单悉数扫光。

接下去的几天，石俭大门不出，二门不迈，把自己关在办公室里反复打压吸筹买入 1 号股票。

到了周五，几个账户上 1 号股票的持仓增加到了 300 万股。这天下午，石俭一边继续减仓拟套现的股权，一边不断买入 1 号股票。这时，老刘打来了石俭久等的电话。

"石董,让您等久了。我这几天一直在想尽办法调研,到今天,确切的一手资料都拿到了。当地的地质矿产主管部门证实了该公司确实具有这块镁矿的开采权,但一直没有实质性的进展。由于公司不是专业的采矿类企业,所以缺乏应有的开采技术,而且前期的投资比较大,公司的现金流缺乏,他们管理层甚至还有转让采矿权的想法。"老刘道。

"如果有股权转让的想法就好了。那家法人公司同属当地,和公司大股东有没有渊源?"石俭问道。

"注册地都是一个城市,但之间没有控股和关联关系,当初也是以财务投资身份介入的发起人法人股。您觉得是否有必要和这家法人股公司接触一下,看看有没有股权转让的意图?"老刘问道。

"不妥!万一他们暂时还不想套现股权,我们这一接触,反而露了风,不利于二级市场收集筹码。你的任务完成了,具有采矿权是最重要的。现在市场上对矿产股的价值还没发现,即便真正的采掘类股票,价值也被低估着,这才是即便这家公司大股东手里有这块优质资产,有人去调研也不重视的主要原因。你回来吧,公司里可缺不了你这个总管,现在连食堂进批水产都得找我来签字。"石俭笑道。

"不是有行政总务部嘛!他们就是什么事都不敢做主,平时也是鸡毛蒜皮的事都来请示审批。"老刘道。

"以后开个会,把部分权力下放到他们部门经理那去就行了。你尽早回来。"石俭道。

挂完电话后,石俭的底气更足了,他看了下 1 号股票这几天始终维持在 4.65 元到 5 元之间震荡的日 K 线图,觉得打穿这个平台肯定会引来一轮恐慌性斩仓盘的出局。到收盘前把股价打压至 4.50 元左右,周 K 线就是一根放量的中阴,下周直接大卖单压低跳空开盘,造成夺路而逃的假象,便能吸纳更多的筹码。

他想到便做,打开交易软件后,先在 4.60 元到 4.70 元间申报了一批买单,然后再申报了一笔 4.60 元的 5000 手卖单,1 号股票股价从 4.75 元直接被打压至 4.60 元。没等盘口看盘的反应过来,他又连续申报了一笔 2000 手的卖单,直接把股价砸到 4.50 元,然后又撤掉这笔只成交了少量股数的卖单,又在 4.55 元处挂出了一张 5000 手的卖单。

挂出这张大卖单后,石俭在 4.50 元处申报了一笔 500 手的买单,然后就在这 0.05 元的夹板内连续小笔吸纳。临收市前一分钟，石俭撤掉了 4.55 元的 5000 手大卖单，直接以 4.50 元的价格再次申报了一笔 5000 手的卖单。股价被这笔大单直接打到 4.50 元收盘，不但以当天最低价收盘，收盘时 4.50 元上还挂着笔剩余 4000 多手的大卖单没有成交。

　　1 号股票的收盘价，不但使短线 5 分钟到 60 分钟 K 线呈现跳水走势，也使得日 K 线和周 K 线的图形呈破位下跌之势。对于看图形操作的短线客而言，这种图形趋势意味着股价在下周将继续探底。石俭要的就是这效果，为下周在更低的位置吸筹打下伏笔。

第三十六章

　　小云在文印室复印好一大沓文件并归纳整理好，回到前台时，小余已经下班。她看了一眼时间，已经离正式下班时间过了半个多小时，仔细整理好前台接待桌后，小云正准备下班。

　　"还没下班？"一个男声传来。

　　小云见资管部的小林正倚在前台边看着她笑，脸红了红后道："准备下班呢！今天复印的材料很多，到现在才结束。你怎么也这么晚？"

　　"天生劳碌命。再勤奋也不如有个好亲戚。请你吃饭吧，你不是要学炒股吗？我们边吃边聊怎么样？"小林道。

　　"那应该我来请，可我刚上班，这个月的实习工资还没领。"小云有些不好意思地说。

　　"吃顿饭我还请得起，那走吧。"小林笑道。

　　小林驱车带小云来到南湖边的一家看得到湖景的饭店用餐。一楼的大堂已经挂起免战牌，门口等位的食客排起了长长的队伍。

　　"这么多人？"小云好奇道。

　　"我都忘了今天是周五，没有订位就肯定要排队。不过楼上的包厢可能会有空位，走，去问问看。"小林说完，拉着小云走到饭店大堂经理处。

　　"楼上的包厢还有空的没？"小林询问道。

　　"您几位？"大堂经理看了看桌上的单子后问道。

　　"就我们俩。"小林道。

"只有一间大包厢没预订还空着，不过要加收服务费。如果消费满一定金额，服务费免收。"大堂经理看着小林道。

"行啊，那就告诉我房号吧。"小林一副满不在乎的样子道。小云拉了下小林的衣袖轻轻道："还是换个地方随便吃点吧。"小林摇了摇头，拉着小云往包厢走去。

"两个人坐了一个大包厢的位子，加点服务费正常，一般这家饭店的包厢到周末都没空位，今天碰巧了。"小林解释道。

上了二楼的包厢落座后，服务员拿上菜单，小林一口气报了几个菜名，然后把菜单递给小云道："想吃什么尽管点，这儿的菜味道不错，你喝什么酒？要不要来瓶红酒？"

小云没接菜单，摇了摇头道："够了，不用再点，酒我不喝的。"

小林翻了下菜单，又点了几道菜后道："今天心情不好，多吃点能解愁。开车过来，酒却不敢喝。"

"怎么了？有什么烦心事？说说。"小云看了眼落地玻璃窗外黑沉沉的湖面。

"还不就是二部小吴那事。你不知道？"小林拿起桌上的瓷茶杯装模作样端详起来。

"哦，你是说重奖那事吧？整个公司都知道了，我怎么会不知道？你干吗生气？"小云一脸好奇。

"公司分派我们的工作本就不同，资管二部本来就是与社会上打交道的部门，人脉资源和社会关系都是日常工作中逐渐积累出来的。我们一部为公司管理运作二级市场的股权投资，每天除了盯盘就是盯盘，根本没什么机会和外面接触，这次也分派给我们部门几笔非上市公司的股权找买家，这可不是难为我们吗？任务派也就派了，还搞什么奖惩机制，卖掉一笔股权奖这么多，这不是挤对我们一部吗？瞧他那得意样儿，看不顺眼。"小林愤愤道。

"呀，这有什么好生气的，听说卖了个好价钱呢，发点奖金也正常啊。你以后也帮公司多赚点，也会奖励你的。"小云笑道。

"不可能。所有投资标的都是由董事长和管财务的副总直接选好，然后指示我们怎么运作。说白了，我们一部这几个人就好比是机器，发一个指令完成一个指令。完成得好，口头嘉许几声是最好的奖励；完成得不

好，被赶出公司都有可能。每个任务我们都力求做得最好，兢兢业业却没任何一点自主权。"小林道。

"那你还留在公司干吗？不会跳槽或自己干？"小云拿话激他。

"呃。公司的福利很好，薪酬比同行高出一倍多。"小林马上道。

"那不就得啦？人比人气死人，有什么可比的？我们前台一天忙死忙活，电话接到头晕，薪水是你的零头都不到吧？那我每天看到你也要气炸了肺不成？不说这个了，你不是要教我炒股吗？听余姐说，你以前获得过实盘交易大赛的第一名？"小云喝了口茶问。

小林一脸得意道："几次第一名，前五名的就更多，实盘的、模拟的都有，我参加过很多次比赛。"

"什么是实盘？什么叫模拟？不懂！太玄乎了。"小云皱了皱眉道。

小林见她皱眉的样子娇羞可爱，美艳不可方物，心中一跳。

"瞪着我干吗？问你话呢！"小云用手在小林眼前晃了晃后道。

"实盘就是用真金白银的人民币交易，模拟盘就是虚拟的账号和虚拟的资金。一般来说，模拟盘的交易并不能真实反映个人的水平。首先，模拟交易，买进卖出的成交量不可能进入沪深交易系统，模拟盘时买进和卖出的价格，在真实的交易过程中未必会全部成交。其次，由于不是真正的人民币账户，是虚拟币，操作起来胆子就大。我都参加过，所以觉得只有实盘能真正反映出个人的水平，但实盘也不是自有资金，是主办方提供的，和操作自有资金又不同。最难的交易还是操作自有资金，特别是当你这个自有资金还是养命钱或者血汗钱时，操作得好，那就基本是高手无疑。"小林侃侃而谈。

"有道理，我似懂非懂哦，别笑我，这个得慢慢灌输。"小云眨了眨眼道。

"我晚上有的是时间，你住公司宿舍？"小林问。

小云作出憧憬状，"对啊。我那点实习工资，租了房还怎么吃饱饭？公司提供宿舍很好，还有网线，就是现在没钱，买不起电脑。等攒够了钱，我每天晚上可以学股票知识了。"

"我家里倒有几台不用的电脑。我换电脑周期比较短，最多一年就要更换新机。你如不嫌弃，我找台只用了大半年的机子，你先用起来？"小林道。

"那好啊。新旧我不在乎，只要可以上网就行，现在每天回宿舍除了睡觉没事可干。"小云道。

两人边吃边聊了会儿。小云问了句："那你帮公司炒股票，一定有内部消息喽？不是可以用自己的钱也可以跟着赚点？"

"不要乱说，我可不那么做，被公司知道了，铁定被炒鱿鱼。上次带你去我们操作室，被董事长看到后，骂了我一顿，差点被开除。"小林板起脸道。

"不会那么严重吧？董事长人挺和蔼的，没见他凶过呢。我就是随便说说，我又没钱，就算你有消息透露给我也白搭。"小云不乐意了。

小林见她生气，忙道："这种事以后我们俩之间说说倒是没关系，绝不能在别人面前说起，特别是你那余姐，公司上上下下都知道她是个包打听。"

"哼！就算她是包打听，也没从你那打听到什么啊！"小云撇了撇嘴道。

"我想呢，你还懂内部消息，原来都是她教唆的。呵呵，她当然套过我的话，只不过毫无作用罢了。"小林狡黠一笑道。

"这个倒不是她教唆的，你冤枉她了。我最近没事经常看些和公司业务有关的书。乱七八糟的都看，知道内幕消息能让知情人捞钱这挡子事。"小云道。

"还挺用功学习。那明天我把电脑送你宿舍吧，你可以看更多信息。"小林眯起眼看了一眼小云道。

"不好！我和总务部的同事住一起，你来不方便，不想让她看到。"小云摇了摇头。

小林点了点头，心道合租的话自己不去是上策，便道："那这样，我把我那台笔记本先借你用。"

小云点了点头，然后道："余姐说，最近公司在大量转让卖出股权，不会是缺钱用吧？"

"不会！依我看，这么急着套现股权换取现金，应该是有什么大动作了。汰弱换强或者集中优势兵力打场大战役之前，都有这种征兆！我有很强烈的感觉。"小林若有所思道。

第三十七章

周末假期转瞬即过，荆石资本又迎来了新的一个工作日。

石俭一早就坐在了电脑前，思考着这一周如何操作才能获取更多底仓，从而用1%左右的底仓来协助岚卉即将成立的山风资本实施举牌动作。

9点15分时，石俭报出一笔1000手的4.45元的卖单，准备以跳空低开的形式来开始一天的交易。过了9点20分以后，4.45元上的小卖单开始增加起来，过了4分钟左右，1号股票的卖出价已被下压至4.43元。

石俭知道这是周五抄底的短线资金忍不住开始止损出逃，马上申报了一笔价格为4.45元的1000手买盘进去。9点25分正式开盘后，开盘价以4.45元开出，石俭这笔1000手的买盘全部成交，而4.45元上的1000手卖单成交了一半左右，还剩500手。石俭又申报出一笔4.45元的3000手卖单进行封盘操作。准备9点30分过后，逐级压低股价慢慢吸纳。

随着筹码的逐渐增多，石俭打压股价的底气也足了。正式交易后，石俭不断用掌握的筹码来进行不转移控制权的对倒压低股价。今天这个从4.45元开盘价到上一个交易日4.50元收盘价及盘中最低价之间0.05元的股价跳空缺口，石俭是不想让它补掉的，所以在4.45元、4.44元两个价位上压出了近万手的卖盘，重兵把守以防有大户资金试图把开盘缺口补掉。

石俭正忙碌着压低股价吸筹时，巫大海前来汇报工作。

"石董，小吴舅舅公司的股权转让款已经打到我们公司的账户上，加上资管一部全部减仓完毕的二级市场股份，加起来有一亿多儿的资金可供调配。"巫大海道。

石俭点点头道："等岚卉那边租好办公地点，验好资，领取执照和开立银行账号后，就能把资金转过去。资金上还是有缺口，就现在的股价也不足以收集到5%的公司股份。何况这么多筹码的收集，股价肯定会比现在的价格高出许多，盘压到一定的程度就压不动了。"

"非上市公司股权的转让套现时间较长，到产权交易所去挂牌是个途径，那笔电子行业的股权我已经挂到产权交易所出售。短期资金面上不足，只有通过募集资金来加以解决，不承诺保底收益，看看究竟能募集到多少资金。"巫大海看了眼1号股票后道。

"那可以放出风去了，先小范围的看看效果，资金门槛就设在1000万元吧。如果认购踊跃，市场反应不错，那么降低些门槛也行。如果能直接吸引到上亿元的大客户，那门槛先不用降低，到时可以看资金面的情况，再二次或三次募集。"石俭道。

"我们公司刚创立之初，那些让我们委托管理资金的客户，有些移民出去了，有些实业办得很好资产规模呈几何级扩张。这些老客户中，不知还有没有留恋我们荆石的。"巫大海有些怀旧。

"我们都老了。粉丝也会对偶像厌倦的，市场代有人才出，当初的故人，谁还会想到我们?"石俭摇了摇头笑道。

"您不是现在还想出全力找个翻10倍的黑马出来? 老了就求平稳发展了，这么激进的押宝操作，说明心还年轻。"巫大海笑道。

石俭点燃烟斗道："长期的平淡缺乏进取和挑战，人的思维就会慢慢钝化，把自己逐步装入一个茧里。我现在是要把身上这层开始增厚的茧穿破，重新迸发一下，看看会是个什么效果。最近这几年都是分散出击，利用公司的招牌博些重组题材的利润，再这样下去，公司的老本都要吃光了。没有好的个股操作案例，公司的影响就会每况愈下，这就像一个将军，老打和稀泥的仗，重大胜利一次没拿到手，怎么能让人记住? 举牌对公司也是一种广告宣传，这种宣传比任何软文吹嘘都来得实在，真金白银地投入，才会使荆石再一次出现在聚光灯下。就现在这种价格，无论是大盘还是个股，都已进入谷底阶段，我们经历了和这个市场同等时间的风雨，这种经验是黄金都换不来的。"

石俭边说边频繁递进买单砸出抛单，一分一分把 1 号股票的股价压低。

"有多少了？"巫大海问道。

"嗯，400 多万股。还好没人和我们抢筹，不然这样压盘，被人瞬间扫去，就不好玩了。最近市场最活跃凶狠的资金都潜伏在所谓的科技股中，很多操作手法都很熟悉，虽然前阵子处罚了几个典型，但对市场好像没什么警示作用。这个资金啊，一旦进去了，就不会在很短的时间内出来，市场的目光都被这个板块吸引了去。这么大一个泛题材，吞吐的资金量也大，后知后觉的资金有的是没启动的品种选择。"

"我们要操作的这只股，和科技根本沾不上边，也就没人关注，其实这几天我为了吸到更多筹码，这种人为刻意打压的手法还是比较明显的。"石俭猛吸了口烟。

巫大海被烟呛了一口，剧烈地咳嗽起来。

"咳得脸都红了！不至于吧？还是你好啊，早早把烟给戒了，现在闻到烟味都受不住。我这辈子看来是戒不了喽。"石俭起身把窗户打开。

刚下过雨的空气湿漉漉的，扑鼻而来的清新湿润空气吸入肺中，却有着无比畅快的感受。

"岚卉每次都让我也劝劝你少抽些，说你人未到，一股浓烈的烟味先至。"巫大海边咳边道。

石俭笑了笑，没接话茬，继续操作 1 号股票。

"等岚卉那边的公司全部办妥后，最重要的还是要找个信得过的人来操作二级市场的买入行动，而且要盘面操作技巧好，总不能您亲自过去操作吧，把这边的任务甩给资管一部？"巫大海道。

"我也想过了。合适的人选有，就是我们那些隐蔽账户的操盘人。"石俭道。

"虽然这些账户的资金调度由我管理，可这个人连我都没见过。日常管理那么多账户，头脑一定不错，这可是公司的秘密武器，您的保密性做得非常好。"巫大海好奇道。

"会见到的。不过也只局限在你和岚卉两个人。这个人知道公司太多的一手秘密，可你见过有丝毫消息走漏没？如果说公司里我信任的人，这个人就是你和老刘、岚卉外的第四人。一个人，无论在股市跌宕起伏、惊心动魄的变化过程中，都能即使在完全看透股市趋势的背景下，还能执行我所有发出的指令并努力做好，不带任何私人感情和冲动自我做决策，是非常难能可贵的。"石俭道。

时光如白驹过隙，转眼一个月过去了。

在这一个月中，石俭把几个子公司的账户持有的 1 号股票数量增加到了 1000 万股，已能得心应手地控制每日的股价走势。岚卉的公司已经正式成立，但开业酒会等一切均免，低调投入了运作。

这天，石俭和巫大海轻车简从来到位于市中心一家高挡写字楼的山风资本。

"石董，今天能见到那位神秘的操盘人吗？"巫大海在电梯里问道。

"我们应该是先到，等会你会见到的。真这么好奇？"

"好奇着呢，我就想看看，和年轻时的你有没有相像之处。"巫大海道。

"这个没法比。"石俭故作神秘地摇了摇手。

山风资本租用的面积并不大，甚至可以用有些局促来形容。石俭看到岚卉后就道："写字楼是你要租的，可租这么点儿地方，施展得开吗？"

"租金可贵了！能省则省吧，主要是考虑到形象问题。你说的那种老派的地方，配套设施不齐全，我不喜欢。"岚卉和巫大海点了下头后又道，"地方虽小，可还有简陋的会客室，进来说吧。"

石俭笑了笑，和巫大海进入了被称之为会议室的房间。"嗯，勉强就我们 3 个人能开个小会，再多几个，就坐桌上了。"石俭一屁股坐下后往四周扫视了一圈。

"本来就是摆摆样子，你还当真了。"岚卉顿了顿才道。石俭知道巫大海在，她有些话就不好意思直接甩出来，就忍不住笑了起来。

"岚总，招人了没有？"巫大海道。

"还没呢，其实也没什么事干，最多找个人接接电话之类就行了。我不准备招男员工了，最好能从荆石带个女职员过来更好。"岚卉说完看了眼石俭。

"那没问题，看上谁你直接说，然后让大海去做协调，薪水提高30%，谁都肯来你这儿。"石俭道。

"我要熟手和多面手，行政总务部的小范不错，前台也做过，但不懂

股权操作方面的业务，来我这挺合适。你别什么事都让大海去谈，这个你自己去做工作，要让她暂时不透露去向。"岚卉道。

"这个我知道，那我自己去说吧。你这里的操作间弄得怎么样，我去看看。"石俭道。

"在对面，你特意关照要弄成没人打扰的'密室'，就照你的意思办了。还是等你聘请的人来了之后，一起去看吧。"岚卉没好气道。

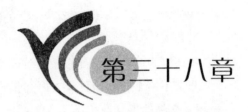

第三十八章

过了几分钟，石俭的手机响了。"对，我在，你上来吧，都等着你呢。"石俭说完，起身离开会议室，走到大门处等候。

见石俭放下架子站在门口迎接，岚卉和巫大海都很好奇。岚卉笑了笑对巫大海道："你见过他这样没？"

"上次市里领导来检查工作有过一回。"巫大海挠了挠了头道。

不多久，石俭在门口和人轻声说话的声音由远及近，到了会议室门口，石俭对躲在身后的人道："来，见见我们两位老总。"

"你们好！"一个戴着灰色鸭舌帽，穿着黑色风衣的矮个子进入了两人的眼帘。声音分明是个女声。

巫大海和岚卉都怔了怔，他们怎么也没有想到，这个公司最神秘的同样掌握核心机密的操盘者，竟然是个女的。眼前之人，30岁不到，戴了副黑框眼镜，个子瘦小，皮肤由于常年不晒日光的缘故而有些惨白。

"小红，坐、坐，不要拘束，都是自己人。大海，这就是你要见识的人，以后会在岚卉这儿待上一段时间了。"石俭道。

"我是巫大海，公司那些账户上的资金调配由我负责，但从来没见过你。"巫大海点了点头道。

女子有些不好意思地点了点头，并没接话。"她平时除了接受我的指令进行账户管理操作外，基本就是躲在房里玩游戏。虽然不知道是不是游戏高手，但我却知道，操盘方面比我们资管一部的要强，她是数字天才，

盘感极佳。只是基本不和外面接触，不善交流。这次正好趁新公司成立，我想让岚卉带带她。"石俭道。

岚卉这次没有挖苦石俭，而是笑着握住女子的手道："几岁？""26。"那女子好像从来都不多说一句话。岚卉点了点头，对石俭道："来看看我布置的操作间，我也不懂怎么弄，反正就是把荆石资管一部的布置照搬过来了。"

"我还以为回到了荆石的资管部。"巫大海道。

"非常不错了。当初我和大海在散户大厅挤在人潮中买进卖出，行情一来用来交易的电脑前挤满了人，那时炒股不是凭智力而是拼体力。"石俭看着操作室里的一排电脑道。

"大海，资金到位了吧？"石俭转头问巫大海道。

"已经划过来一亿多儿，接下来就要靠募集资金了。"巫大海道。

"不。募集的资金不能转入山风，只能以荆石的账户进行收购。那你以后先在这里操作吧，对你来说可能会有些不习惯，克服克服就好了。"石俭望着小红道。

小红点了点头，过了一会儿才蹦出几个字道："今天就开始？"石俭点了点头："设立这个公司已经等了个把月，得抓紧时间。"

"好！"小红走到电脑前，回头看了眼岚卉。岚卉醒悟，走到电脑旁，打开山风设立的公司证券交易账户，把账户号和密码告诉了她。

"等我回公司了，压了单给你吸筹，现在上面没封盘，吸不到多少货，你先买些零星的卖单也行。你只要记住，超过1000手以上的卖单，如果没通知你，就是我挂出的封单，你别扫掉，不然我这边好不容易收集的筹码都被你拿去，白干了。"石俭道。

小红看了看1号股票的K线图，也不看个股资料，切换到分时成交图后，便打开账户，快速报出买单。巫大海咂舌道："这速度闻所未闻。"边上的岚卉也感到惊奇。

临走时，石俭对岚卉道："这是我以前一个朋友的女儿，我那个朋友去世前把她女儿托付给我，我就教了她很多股票知识，她也挺喜欢做现在的事。就是不爱说话，性格内向，在公司里你多照应。"

"知道了。和你没有话，未必和我没话，放心吧。"岚卉摆了摆手，算是道别后，径直回自己的办公室去了。

回到荆石后，石俭先是打开电脑封了一些卖单在 1 号股票上，然后把桌上一些需要签名的文件处理完后，拿起电话拨通了资管一部。

"小林吗？来我办公室一趟。"

资管一部的小林忐忑不安地来到石俭办公室，上次带小云去自己办公室被石俭训过话后，他见到石俭总有一种恐惧感。这次分派给他的卖出二级市场股份的任务，由于时间紧迫，卖出的价格也不好。没找到好的卖点，平均成交价不理想，虽然没再挨训，可总是有了块心病。

"你过来。这是公司几个子账户的账号和密码，你记住后就烧掉。"石俭递给小林一张纸条道。

"这是公司最近在操作的一只股票。你的任务是，把这些子账户上的筹码作为压盘，每天往下封大单压盘，自有其他账户吸筹，你不用再开仓买入。我最近手头上积了很多事没办，实在没时间整天坐在电脑前做盘。有什么指示我会随时通知你，你部门另外两名同事，继续让他们在外面找公司要套现的非上市公司股权的买家，这段时间不用回公司了。这个消息不能透露给任何人，公司只有我和巫总知道，你是第三个，走漏一丝一毫的风声唯你是问。能完成任务吗？"石俭板着脸道。

"能。董事长这么信得过我，一定干好。"小林看了眼纸条道。

"这两笔大卖单是我刚封出去的，你等会看当日委托栏就能知道。每过 20 分钟撤单后往下压一到两个价位即可。一旦有大买单扫我们的封单，立即撤单并停止挂出大卖单，通知我后再作出下一步的操作。行了，你去操作吧，交易时间内要一刻不离开电脑。"石俭挥了挥手道。

小林回到办公室后，看着纸条心中不爽：又是一条机器人的指令。

下班后，小林慵懒地正准备步出公司，小云叫住了他。"我拿到工资了，今天请你吃饭。"

小林回头看了眼小云："今天我不开车，咱们喝酒去。"

"我不喝酒。"

"那你就看我喝。"

小林在小饭馆里喝了一瓶红酒就不行了，迷迷糊糊胡乱说着酒话。小云只能扶着他打了辆出租。"你住哪里？"小云问满身酒气的小林道。小林口齿不清地报了几遍，小云没听清，出租车司机却已经弄明白了。

在几栋高层公寓楼前下车后，小云扶着小林道："你自己回家吧，我

坐公车回去。"

小林没答应，一屁股跌坐在花坛边上。

"真是的，不会喝就别喝，像条虫一样。你住哪栋？"小云用劲把他拉起来，向公寓楼走去。

"就……就那栋，给，这是钥匙。"小林指了指最靠近自己的楼，又哆嗦着掏出钥匙递给小云。

回到公寓后，小云把他扶坐在沙发上，四处寻找茶叶。"给你泡杯浓茶，你喝了就会清醒些。"

小云只找到袋泡茶，就放了两包泡了杯茶，然后打量了一下这个仅一居室的小户型公寓楼。"喏，喝点茶，这水不热。"小云把茶杯递向如同尸体一般横躺在双人沙发上的小林。

他勉强翻起身来，咕嘟咕嘟把一杯茶全喝了个干净，然后摇摇晃晃地站起来道："扶我去睡会儿。"然后就用手搭住小云的肩膀，用力搂住她。小云推不开他，只能扶着他往房间另一头的床挪过去。

到了床边，小云刚想说话，小林用力把她推倒在床上，然后整个人都压在了她身上。

"干吗，放开我。"小云满脸羞红道。小林道："不放。我太喜欢你了。"然后双手开始不安分起来，在小云身上摸索。小云无论怎么挣扎都无济于事，反而激发了小林的兽欲。

过了很久，小林看了眼满脸泪水的小云道："想不到，你还是……我会对你好的。"

"我要去告你，让你身败名裂！"小云咬着牙，两眼失神地望着天花板。

小林突然翻身起床，一下跪在床边，装腔作势抽了自己几个耳光道："不要去，求你了。我喝了酒一时糊涂，你要什么补偿我都答应，就是不要去报警。"说完竟然在床边磕起头来。

房间空气就像凝固了一般，小云许久才说了一句："不告可以，你以后都得听我的。"

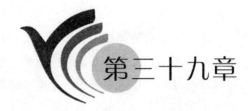

第三十九章

云在天离开那座伤心之城时，故意支开了桐桐，然后轻装上阵，和唐瑭到各地去游历了一番，直到找到了现在这个风景秀丽、外来流动人口不多的城市，才停下了漂泊的脚步，安营扎寨下来。

做了股票的人，特别是全身心投入其中的人，是戒不了股的，云在天也不例外。为了打发无聊的时光，也为了防止脑子不用而"锈掉"，云在天也做一些短线小范围小规模的交易。他通常在各种行业网站上收集最新的消息，然后看对具体品种构成的利好作用，在股价没启动前抢进一些筹码，当这类消息出现在证券类网站上时，股价异动后乘机兑现。打这种时间差需要细心寻找线索然后进行判断，并结合股价是否已经反应来作出买与不买的决定。虽然有些疲于奔命，却也小有斩获，赚取了一些小菜钱。

这天，云在天正像往常一样坐在租住的地方看各种公司信息和行业新闻，手机上发出收到电子邮件的短信提示。云在天打开电子邮箱，打开邮件，一行文字映入眼帘。

我是桐桐，还记得我这个徒弟吗？你不辞而别那几天，我很迷惘和无助，不过现在恢复过来了，因为我心中有个目标要去实现，人活着大概就是为了各种目标而前行，一旦目标达成，人也就失去了生存的意义吧？我现在过得还行，最近我得到了一个绝密的消息，有家大公司在操作这只股票，具体的还不是很清楚，我想接下来会有更确切的消息。你觉得可以买点就买吧，现在处

于他们的建仓期，从介入成本上说，肯定有不小的利润。我这封邮件设置了已读回执，只要你打开，我便知道你看过了，回不回复没关系！

云在天把手放到键盘上准备回复，但又不知从哪说起，迟疑了会儿，才输入两个字"收到"。

房子并没有转让出去，云在天觉得让桐桐无处可去于心不忍，在他走的时候，留了张纸条给外出购买食物的桐桐，上面简单叙说了自己离开这座城市的缘由，最后附带了一个电子邮箱的地址，说明手机号码有可能会更换但邮箱不会变，如果有什么急事需要帮忙，可以写邮件给自己。

他打开桐桐所说的那只股票，最近一段时间放量下跌，但每天的跌幅都不大，构筑了一个下降通道后缓慢下行。云在天看了看分时走势，卖一卖二上大单封堵，买一到买五上买单不是很多，但成交很活跃，在大盘整体成交量不大的背景下，这只股票的量能显示出主力活动的迹象。

从外表上看，这只股票有出货迹象，让人感觉有点像解禁股在不计成本地沽售。可细看之下，买入盘和卖出盘基本对等，卖盘没有呈现一边倒的格局，这就说明即便有资金在出，也有资金在承接。

云在天盯了会儿盘口，越来越觉得这是只正在大举建仓的股票。

这时，唐瑭从外面买了大包小包的东西回来，见云在天聚精会神地看着股票行情，也不来接自己手中的袋子，便道："怎么？又看上哪只股了？"

"刚收到个消息，说这只股票有人正在建仓。我研究了会儿，觉得还不是一般的短线行为，应该是大规模建仓。"云在天起身帮唐瑭把大包小包的袋子拿到厨房。

"都不干这行了，还有人来理你？以前的人脉还能派上用处？我看看。"唐瑭坐到电脑前刨根究底似的翻起了个股资料和周、月线图。

"是只微利股，看它的现金流负这么多，而且都连续几年了。公司的流动资金也呈枯竭之势。盘子也不小，操作这种股，不是一般人能搞定的。价格嘛，也不算便宜，不具备低估优势，现在这种时候低价股满眼都是。"唐瑭边看边回头对正在倒茶的云在天道。

"既然感觉有大资金在吸纳，那么其他都不重要，我们以前操盘不也是拣绩差绩平的，筹码容易收集不说，关键是没其他资金抢筹。买吧，用你的账户，等会儿我去把钱都转到你的账户上。它上面的大卖单封着是做做样子的，我们先 5 手、10 手地买一点看看他有没有反应。"

"还分什么你我，你这么说我不爱听。把我当外人看是吧？不过我大部分资金都进行了 7 天的个人国债逆回购操作，这几天的年化利率都超过一年的定期储蓄利率了。资金闲置着那点活期利息基本可以忽略不计，弄点回购生点小钱出来也好。"唐瑭说完用力捏了把正在边上凑过来看买卖盘的云在天。

"没那个意思，只是不想让你一起担风险而已。你起来，我来买，好久没全力出击了。"云在天拉了一把唐瑭道。

"那我坐你腿上，我们一起操作。"唐瑭坏笑。

"这么重，我可吃不消。"云在天打开账户开始一笔笔申报小买单。

"呸，我一百斤还不到。那我洗菜去，今天买了很多好吃的。"唐瑭说完亲了下云在天，就去厨房忙活。

云在天连续报了十几张单子，吃了近 100 手 4.35 元的筹码后，停止了操作。这时，一笔 300 多手的卖盘把股价打到了 4.33 元。云在天连忙报进 20 手和 10 手两笔小买单，又在 4.32 的价格上申报进 30 手买单。

一个上午买了 200 多手，云在天并不急于大量买入。一是因为在短时间内买得过快，容易引起盘中做盘资金的关注。二是想再多看看盘口，研究做盘资金的盘中操作手法。

"开饭喽，看我给你做什么好吃的了？"唐瑭在客厅喊道。

"好香！是糖醋排骨？"云在天起身问。

"鼻子很灵嘛！吃饭前先洗手。"唐瑭拍了下正准备坐下来的云在天的手背。

"最近菜越烧越可口。刚自己做那会儿，不是咸了就是淡了，不是火候过头就是半生不熟，现在算是正式毕业了。"云在天洗好手笑着看了眼唐瑭，又道，"跟着我这穷老头，一个既没背景又没家族财富的人，你不觉得很亏吗？"

"钱太多了人就花心，你没瞧见那些二奶小三成群的，天天使心眼都不够用吧？像你这样大门不出、二门不迈的书呆子，有安全感，我就喜欢这样的生活。"唐瑭一边给云在天舀饭一边道。

"小齐去了私募，小吉现在成了基金从业人员，以前的地下游击队就

剩我们俩了。"云在天夹了块糖醋排骨。

"现在这样自由自在的生活过惯了，做个职业股民也挺好，一轮大牛市下来可以吃几年。然后在熊市中可以到处走走，看看各地的风土人情，别人羡慕还羡慕不来呢。"唐瑭道。

云在天夹了块个儿大的排骨给唐瑭。"可没人来羡慕你！现在炒股不就是亏损的代名词吗？你看这几年熊市下来，人谈股票的欲望都没了，听到股票就摇头，逃避这个牵动伤处的敏感词汇都唯恐不及。"

"这个也说明了市场离逆转的日期不远了呗。我就搞不懂了，牛市里就要做足行情，但牛市一旦结束，特征通常都非常明显，譬如泡沫泛滥、巨大的获利盘。趋势开始转向后，兑现利润套现出来不就得了？死捂着筹码不肯卖，到最后跌得只剩个零头，关键还是错在操作上。市场是永远正确的，别说小资金只能适应市场，再大的机构也阻挡不了趋势的逆转。我们最近一直在观察选择标的，不就是为行情的逆转做准备吗？你这倒好，一条消息就兴奋得了不得，千觅万选，就选这样一搓股。"唐瑭撇了下嘴说。

"能从公开资料上分辨哪些股搓，哪些股不搓谁都能办到，看了业绩好得不得了，买进去就一定赚钱？几只著名的蓝筹股，套住了多少资金？你看，现在这个阶段大势并没有向下破位。震荡行情中，有主力建仓完毕的，那就利用市场震荡的契机，拉高了减持或者清仓，根本没必要这么多封单往下压着出货。控制了这么多流通筹码，完全能把股价连续对倒拉升上去，放出成交量来吸引跟风资金高位追涨，或者制造出题材来寻找好的卖点。这种手法和我师傅以前常用的手法类似，这个做盘的决策人绝对是老得不能再老的老手。现在很多私募都搞阳光化，都开始注重行业配置和调研，这种老掉牙的做盘手法都快成文物了。等会儿我去银行一趟，把资金转到你卡上，等会回来你转到证券账户上。用我的资金来赌一把，赌对了，我们几年的开销都能解决。"

"不是我胆小，我们现在这个情况，也要注意下风险控制了。再说了，你的钱被套进去了，我还能养你！哈哈。"唐瑭笑道。

云在天呛了口汤，咳了起来。唐瑭一边拍着他背一边道："老公公，您慢点儿用，甭呛着。"

"慢用！慢用！大婶，您汤炖咸了。"云在天边撕了张面纸擦拭着嘴巴，边佝偻起背道。

"不和你贫嘴了，吃饭不要说话，赶紧吃了去银行吧。"

"等会儿你切记不要扫它那大卖单，一是我们吸点筹码不用太明显。二是这价格我觉得还有继续砸盘的空间。看上去做盘者想在这个价位做个整理平台，再吸点筹码后，应该再有个放量挖坑的动作，那就是拿筹码最好的时点了。如果有再次挖坑的动作，那就可能做 V 字底。"云在天吩咐唐瑭。

第四十章

云在天从银行回来后，下午的股市已经开盘。他把银行卡递给唐瑭道："全部家当都在这儿了，50万股都买不足。"

"我知道，分账的时候是我和小齐他们一起去办的，你有多少我知道，不是还罚了笔很大的款吗？"唐瑭打开账户开始银证转账。

"4.29元！难道想打穿4元整数关，探底到3.80元？"云在天看了眼4.30元上千余手的压盘道。

"你来吧，我还得去洗衣服拖地，这交给你了。"

云在天想了想，决定这几天股价做整理平台时先买入10万股，如果有挖坑动作，就把自己的资金打光。他在4.21元至4.26元之间每个价位上挂进了100手的买单等成交，然后就去研究其他几只观察了一阵子的品种。

到收盘前5分钟，这只股票始终维持在4.25元至4.30元之间波动，直到2点55分时，突然有笔3000手的卖单把股价砸到了4.21元，云在天挂出的600手买盘全部成交。他连忙又在4.21元处挂进200手买单，可刚挂进去，股价又被一笔1000手的买盘拉回4.26元，收盘收在了4.25元，没有回到4.21元的价格。

接下来几天，云在天买足10万股后就没再加仓，始终看着这只股票在4.20元到4.30元之间连续震荡了几天，该股日成交量也开始逐渐萎缩下来。

唐瑭看着分时成交图："没有挖坑呀。你的预测出错啦。"

"呃，被市场淘汰了，看不清盘口。如果这几天它有上攻的动作，我再追入 10 万股就停手。不出意料的话，赚些小菜钱还是有的。"云在天打趣道。

唐瑭打开一只股票后道："你看我这只股，前几天让你也买点，你不买！瞧瞧，我这 1 万股才真的赚到小菜钱。"

云在天点了点头，赞许她道："走上升通道，进入加速赶顶期，短线确实要做这种强势品种，5 日乖离率都正 3 以上了，见正 5 要不要出？"

"你那套都是传统的东西，碰上超强股没啥参考意义。即便乖离率到了正 5 以上，还可能出现正 6 甚至正 8 呢，而且出现回落也可能是强势回挡清洗掉一些获利盘。再度拉升也未可知。"

云在天被她一番否定言论训闷，苦笑着继续看大盘指数。这时，突然在屏幕下方出现云在天买入个股的大卖单提示，唐瑭眼尖，立刻喊道："快看！"云在天也看到了，马上打开这只股的分时成交，只见连续几笔 5000 手的卖单把股价砸向跌停。

他立刻打开账户，此时也不去小买单连续买了，直接报了笔 3.90 元的 1000 手买盘进去，又报了笔 3.85 元的 1000 手买盘进去，再报了笔 3.81 元的 1000 手。

"跌停价是 3.81 元，我的心理价位。"云在天紧张看着分时成交，3.90 元的 1000 手买盘由于是对着卖盘价扫的，所以马上就成交了。3.85 元的价格上没有大卖单砸出，都是小笔的卖盘恐慌割肉，1000 手买盘接了几分钟都没全部成交。3.86 元上的价格上，突然有人挂出了 10000 手的大买单。云在天查了下回报，3.85 元的 1000 手买单部分成交了 500 多手。他当机立断，撤掉这笔未全部成交的单子，马上又报出了一笔 3.91 元的 500 手买单。申报后马上查询成交回报，这笔买单全部成交，价格分布在 3.88 元至 3.91 元之间，3.90 元价格成交的股数最多。

"疯了，等会儿可能会打跌停的，这么着急买干吗？一点点买。"唐瑭看着该股巨量杀跌的恐怖分时走势道。

云在天没有答话，眼睛一眨不眨紧盯着买卖盘。这只股票刚刚出现的连续卖单突然全部停止，股价开始由 3.90 元逐级上升，几笔小买盘就把股价打至 4.00 元。云在天立即打开账户，连续申报了 4.01 元和 4.05 元

两笔 500 手的买单。4.05 元的买单立即全部成交，4.01 元的买单只成交了几十手。

"买不到便宜货了，马上必定连续拉升。"云在天叹口气道。他刚说完，只见一笔 5000 手的买单把股价直接打至 4.10 元。云在天马上撤掉了未全部成交的 4.01 元的买单，直接申报进一笔 4.20 元的 500 手买单。从 4.10 元到 4.20 元之间基本是空挡，这笔 500 手的买单除少数 4.20 元价格以下成交，绝大多数都是在 4.20 元上成交。云在天 500 手的买盘，就直接把 4 元多股票的股价打高了 0.10 元。

唐瑭还没来得及说话，只见大量买盘直线推升股价，股价又从 4.20 元直接打到 4.30 元迅速翻红。翻红后并未出现震荡歇脚，而是一笔接一笔的大单持续涌入，股价连破 4.40 元和 4.50 元两个整数关。但在 4.60 元处开始出现了 2 万余手的封单。

"这个主力是绝对不会封板的，4.60 元就是今天的最高价，4.65 元的涨停价前绝对重兵把守。这 4.60 元的封单，就算靠追涨盘全部扫掉，封单还会继续堵出来。"云在天说完，脸上露出极为遗憾的神色。

唐瑭吐了下舌头，"有 40 万股还不满足啊？我都替你捏把汗，看来以后不能影响你操作思路，姜还是老的辣啊。"

"你看它又迅速回到了 4.50 元，如果没猜错，他在这个价位能吸到不少筹码。前期的小平台 4.20 元到 4.30 元之间的短线盘，经过今天这么打跌停的一吓，现在采取有利先跑的不会在少数。我估计这个主力还不会启动升势，明天早盘还有打下影线的机会，我就再买 10 万股，把'子弹'全部打光。可能还要借用你一两颗'手榴弹'，我的资金买 50 万股稍差一点。"云在天笑道。

"早知道我也买 10 万股了，就现在的价格跑，别去想以后摸不着边的事，几板车的菜都有了。"唐瑭一脸惋惜状。

"股市的魅力就在于永远无法预知未来，通过决策作出操作的行为。正确的话，带来的不仅仅是账面资金的增长，还能提高自信。相反，决策错误，带来的除了资金的缩水外，还有一种对自己能力的疑惑与否定。岁月就随着这种不断更替的肯定和否定而飞速向前，不会给你任何踌躇和惋惜的机会。"云在天不但没同情她的犹豫不决，还说了一番话来教训唐瑭。

"你落井下石啊？废话这么多，听着烦。"唐瑭板起脸道。

云在天拍了拍唐瑭劝慰道："亏了算我的，赚到都是你的，我要钱又没用，你管够我好茶喝就行。"

"4.45元收盘了。希望明天盘中能回踩到4.31元。"云在天看着放出巨量的这只股票道。

次日，云在天开盘前就早早坐在了电脑旁，准备等该股开盘后有个盘中打下影线的机会再买10万股，凑足50万股。

9点25分开盘后，该股以4.40元的价格低开，云在天马上以4.31元的价格挂进1000手买单，等待开盘后的短线获利盘回吐。

正式开盘后，股价被几笔大卖单连续打至最低4.32元。在4.35元至4.36元之间震荡了5分钟左右后，股价开始缓慢地向上盘升。云在天暗自道：可恶，看到我这1000手买单挂在那儿，就不给我了。

看着连续盘升的股价，云在天不想再等待其第二次回踩，马上撤掉未成交的买单，又报了笔4.50元的1000手买单进去。此时股价只有4.44元，云在天的买单直接把股价打到了4.50元。但随后股价却又被连续压出的卖单迅速压到了4.40元之上。

云在天的资金全部换成了筹码，没有资金后反而一身轻松。该股当天以4.55元的价格收盘，股价虽然没拉出昨日的4.60元高点，但单日成交量却放大至10万手。

接下来的几天，该股缓慢震荡上升。5元整数关被突破后，瞬间冲击到5.30元的高点。之后，开始小幅震荡，构筑平台整理。

这天上午，云在天手机又有新邮件的短信提示。云在天打开邮件，又是桐桐发来的。

> 又有新的消息，这只股票很可能有举牌收购的意图。我想师傅已经买了点筹码了吧？我只求师傅一件事，那就是把这个消息散布出去，让更多游资进入跟庄最好！这样除了能帮到我，也能帮到您。

云在天看着邮件思考起来，这个小女孩，难道也买了很多筹码？他看着该股主力有恃无恐的气势，觉得这办法也许行。如果有大批资金在这个价位杀入，肯定会抬高它收集筹码的成本，现在这种震荡盘升的控盘计划就会被彻底打乱。

他第一个想到了牛疯子，前阶段自己被作为典型处理后，牛疯子老实

了一阵。最近听小齐说牛疯子正在四处筹集资金，又准备大干一场。他迟疑了会儿，还是拨通了老牛的电话。

"书生，你失踪了？上次的事真要命，你还好吧?"牛疯子依旧声音洪亮。

云在天知道他指的是处罚那事，"以前的事就不提了，我现在不干老本行，'塑料盆洗手'了，就一小散。说正事，这只票，有重大题材，我已经观察了好一阵儿，消息也是绝对可靠，举牌概念！你有兴趣可以研究下。哦，切忌不要透露出去。"云在天和他草草聊了几句后，又给小齐和过去几个关系不错的师兄弟们逐个拨了电话。

上午收市前，这只走势总是不紧不慢缓缓爬升的股票，突然出现连续的大单扫货迹象，以往那种靠大卖单封堵控制股价运行节奏和价格的态势被瞬间扭转，5.20元到5.22元三个价位上的近万手卖单，被一笔扫光。

云在天笑了笑，这种凶悍手法是牛疯子的招牌手法。他绝不会像自己这样先缓慢吸纳底仓，然后逐步买进，看准了就动手，出手绝不迟疑，收集筹码信奉高举高打快速建仓。

第四十一章

"怎么把封单给一笔扫光了？难道是加速建仓？不是说好大卖单不扫掉的吗？还要不要再压？"小林看着自己封在5.20元到5.22元之上的近万手卖单被一笔扫光，觉得有些奇怪，和以往那边吸货的手法大有不同。

他迟疑了一下，还是拨通了石俭办公室电话。"董事长，我这边封出去的卖单都被一扫而光了，需要继续压盘不？"

这时的石俭正在办公室和巫大海接待一个贵客，他马上扫视了一下1号股票，果真有持续的买单杀入。"这个等会儿再说，不用再挂。我现在有客人。"石俭挂掉电话，对坐在办公台对面的巫大海道："那我们就这么定了，尤先生的这笔大额资金由我们荆石公司代为管理一年，年回报率保底15%，上不封顶，这可是其他理财产品所没有的保底承诺。大家相信我们荆石，我们公司一定要不负众望，打响资管理财第一枪。大海，把委托合同给尤先生看一下。"

被称为尤先生的客户仔细看了几遍合同书，点了点头道："条款很公平，对客户利益有很大倾斜，买了这么多理财产品，这次算是最不错的回报率。冲着荆石，我信，要是换了其他的，这么好的承诺反而提心吊胆不敢签了。"说完，拿出支金笔签署了合同文本。

"资金转入我们公司指定的账户后，财务部门会开出收款凭证并加盖财务专用章，直接找巫总办理就行。"石俭在合同上签了字并盖了公司章。

"我这还有比较重要的事需要立即处理，那尤先生，感谢您对本公司

的信任。大海，你送送贵客。"石俭起身和客人握了下手。

等他们走后，石俭立即给岚卉公司的操盘者打电话询问。

"哦！不是你那边扫的货？那就奇怪了。"石俭疑惑道。

"这个扫货的人很野蛮，已经连续扫了很多笔大单了，现在股价都打到5.40元了。还要继续买进吗？"电话那头道。

"压盘是压不住了，看来有人要进来搭顺风车，继续买吧，你那边才2000万股吧，离举牌还差一半。"石俭神色凝重道。

他慢慢踱到资管一部，一边走一边想着资金上的调度问题。自从公司放出资产管理的口风后，前来咨询的大客户络绎不绝。石俭知道，一是由于公司在资本市场长袖善舞，几个经典的收购重组案例都是由荆石公司完成，可谓在二级市场名声大震。但公司在完成这些著名案例时，从未私募过资金，越是投不了钱越是想投，这是共性。这次终于开闸，引发了拥趸强烈的参与热情。二是因为经过连续下跌后，手上有大笔闲散资金没有好的投资渠道的大客户，也都看到了股市机遇的日渐临近。

"董事长，您来了。"小林见石俭推开门后一脸沉思的模样。

"被扫去了10000手，现在几个账户加起来还有多少？"石俭坐到电脑前，看着1号股票连续拉升的分时走势后问道。

"还有1000万股左右，这些天压盘，为了保证压盘后总持仓不减少，我陆续又在低位买了些。今天被扫掉的100万股，如果以4元左右的成本计算，也有30%的短线利润。"小林道。

石俭点点头，并没责怪他为何未经自己同意擅自加仓。他点燃烟斗，皱着眉盯着1号股票即将冲上涨停的趋势后道："快，把几个子公司账户上所剩的资金全部买完，涨停价也可以。"

小林答应一声后，迅速打开账户申报进一笔笔的买单。所有买单都在5.78元的涨停价以下以申报顺序分几种价格成交。由于买盘汹涌，都以追高的买入价成交。小林刚查询完所有成交回报明细，1号股票已被5万手买盘封住涨停。

"今天冲进来的资金太凶悍了，已经好久没见过这么不要命的狠劲。毕竟股价已经从底部涨上来40%多。"小林擦了下额头道。

石俭深深吸了口烟，起身道："明天开始不用封盘了，让他去表现几天，等他赚了短线利润跑路，我们再按原有的方式进行。"

接下去的两天，1 号股票的表现出乎石俭的意料，又出现连续两个涨停。股价从 5.78 元一路飙升到 7 元整数大关。

第三天上午开盘前，巫大海来到石俭办公室汇报募资的情况。

"募到 2 亿元资金。剩下的都是些不足 1000 万元出资门槛的资金，您看是否要降低些门槛？"巫大海道。

"先不用了。这只股票不知哪个环节出了问题，这几天进去的资金非常凶悍。这个价我们继续收集筹码，不但会形成抢筹的局面，股价越强势，抛盘反而会越少，有筹码的都想捂着继续看看情况。而且这个价格已经有些超出我第一次举牌的成本。"石俭道。

"应该不会是我们这边泄露出去的消息，就这么几个人知道。会不会是这家公司的内线出了问题？把消息又透露给其他机构？"巫大海道。

"不会。他也在底部买足了筹码，我也给他讲了这只股票未来至少能翻几倍，既然他已经吃足了货等待拉升，谁拉都是一样，没必要再把消息透露出去。他知道一只股票中有几个主力，往往股价就做不高，反而会大打出手。而且他也十分清楚，如果他把消息透露出来，一旦被我们知道他另外还卖消息出去，那么我们肯定会有所行动。内幕消息交易是受到严厉监管的，事闹大了，他自己也收不了场，这个我们当初都谈过。"石俭道。

"这就奇怪了！也许是'涨停敢死队'这样的大户抱团资金，看到这只股票有资金持续吸纳而做一把短线，也有可能。就我们持有的成本而言，现在的价格我们是浮盈不小了，要不是您有举牌的长远打算，全部把货倒给他们，我们倒是大赢家呢！"巫大海笑道。

"我也是这么想！可能是看图形操作的短线资金抱团出击的行为。现在只能等待，看他套不套现。我们锁定了这么多浮动筹码，他拉抬起来不会很辛苦。我今天准备在股价冲高时，减持一点仓位，希望能压制一下股价的上升节奏。马上就年底了，一般的机构都面临结账，市场资金也比较紧张。"石俭说完看了下时间，集合竞价的时间段即将开始。

巫大海走后，石俭通知了资管部的小林，吩咐他今天不用操作，由自己来操盘。

9 点 15 分过后，1 号股票继续以跳高 3 个点的态势进入撮合成交阶段。石俭看了下巨量的买卖盘申报，觉得这个交易日应该是这几天进去的这批资金高位换手套现的开始。于是报了张价格为 7.21 元的 5000 手卖单

进去。

9点25分，1号股票以7.23元开盘，集合竞价的开盘成交量高达2万手。石俭摇了摇头，这么大的开盘量能，今天是肯定冲不了涨停。看着短线已有强弩之末的多头力量，石俭打定了这一天持续在7.21元上减持压制股价的决心。自己这边几个子账户上还有950万股左右的筹码可以卖出，岚卉那的筹码更多，高达2000余万股。近3000万股的筹码加上短线连续三个涨停的股价，压不下来那就真是天方夜谭了。

正式开盘后，1号股票惯性上冲，石俭连续千手卖单沽出，当股价冲至7.30元时，石俭索性一笔1万手的卖盘以7.29元的价格申报出去。上冲的股价被这万手的卖盘压制，经过几十秒的迟疑后，大笔短线获利盘蜂拥而出，石俭刚想继续申报一笔7.20元的万手卖单进去，股价已经被一笔5000手的卖单砸至7.15元。石俭暂时没再动手，他觉得今天1号股票的7.30元就是最高点，不出意料的话，股价将震荡回吐大量的短线获利盘。

1号股票在7.10元至7.15元处震荡了几分钟后，又被连续的卖盘瞬间打压至7元。当日股价跳空缺口被完全封闭后，卖盘有所减轻，股价回弹至7.10元后，开始在7元上方展开波动极小的震荡走势。小幅波动一直持续到11点过后，陆续有买盘推升股价。石俭有些不耐，打开账户以7.10元的价格报出笔1万手的卖单，买盘稍微上冲至7.10元后立即不继，观望已久的空头见多头无法再组织起有效的反攻，开始倒戈。当抛盘击破7元整数关后，套现盘大量涌出，石俭在6.90元至6.81元之间陆续挂出买单，把刚才卖掉的筹码准备再接回来。

中午收盘前，1号股票被抛盘一路砸到6.78元收盘。石俭看了看刚才巫大海拿来的公司特别开立的资管资金账户的资料，2亿元资金已实际到位。他看了看1号股票持续放出的成交量，觉得股价再要大幅回落已是不可能，回挡到6.50元处会有较强的支撑，这么大的量倒是便于快速收集筹码。

　　他中午草草在食堂吃了点后，便驱车前往岚卉的公司所在地。

　　"哟，什么风把你吹来了？还没举牌，这股价就飞天了，建仓成本快速上升你没想到吧？"岚卉笑着对石俭道。

　　"确实没想到，今天上午还和大海谈这事呢。我先过去交代小红点儿事，等会再来你这。"石俭说完就去了对门的操作室。

　　"小红，现在一共多少筹码？"石俭问道。

　　"2 300 万股。石叔。"

　　"今天下午开盘后，自 6.78 元以下继续买入吧。这个成交量，买入的每笔手数可以放大，增加一点筹码是一点。你买你的，就当我不存在。"石俭说完，拉了把椅子坐了下来。

　　下午开盘后，该股先往上弹了一下，但缺乏量能的配合，又立即被抛盘打下。只见小红迅速打开账户，快速地一笔笔把卖单接入。股价打至 6.73 元后，她又立即报出一笔大单，把 6.78 元以下的卖盘全部扫光。这时，6.80 元上有笔近千手的卖单，小红回头看了眼石俭道："石叔，6.80 这笔扫不扫？"石俭点了点头。

　　一个下午，山风资本的账户上又增加了 500 万股的筹码。下午的抛盘，有一大半是山风资本的账户在接盘。1 号股票的成交量当天达到 25 万手，为几年来的天量，股价报收在 6.80 元。下午盘中最低探至 6.53 元，离 6.51 元的 5 日均线只有 2 分钱的差距。

"明天的成交量肯定会缩下来，只要我们明天不砸盘，今天的 6.53 元就应该是短线回调的低点。这波进去的资金肯定会有做二次上攻的冲动，明天惯性低开后，6.80 元以下的筹码照单全收。如果他不想震荡几天就直接继续做上去，那你也追高买入一点。7.30 元以下你可以自由做主买入，7.30 元以上停止买入，看他能做多高。我那边还有 1000 万股左右的筹码可以随时做空，他拉得狠，我就全部给他，看他到底有多少实力。"石俭道。

接下来的一天，1 号股票全天呈现低开高走的走势，股价开盘后仅探低 6.65 元后，即在买盘的推升下逐级走高。盘中买盘汹涌，被拉至 7.30 元高点处只用了一个小时不到，然后在 7.30 元之下震荡了不足一个小时。中午收市时，几笔巨单牢牢将股价封上 7.48 元的涨停价。

石俭坐在办公室里心情烦闷，小红刚打来了电话，7.30 元以下买到的筹码不足 300 万股，而且是连续不停买入。石俭看着 1 号股票在涨停上高达十几万手的买单，自己这边的筹码即便全部卖出，也打不开这个涨停，看着涨停上越来越多的买单在增加出来，他完全失去了砸开涨停的信心。

他木然坐在电脑前，脑中却飞快地盘算着：荆石子公司持有 1000 万股，山风资本持有 3 100 万股左右，两者加起来已达 5% 举牌线，但一旦信息明朗，势必造成停牌后股价再次上涨，大幅提高收购成本。4 100 万股的股份持有数，只能进入这家公司的第三大股东，连持股数 5000 万股的法人股东都未能超越，投票权太轻，起不到决定性作用，也很难挤入公司董事会的席位。

石俭本来的如意算盘是，山风资本先持有 3 800 万左右的股份便停止买入，接着荆石公司再继续买入达到 3 900 万股左右，然后由山风资本直接加仓到 4000 万股举牌，举牌后新的股东信息会公开披露，由于荆石公司未达 5% 举牌持股线，可以不履行信息披露制度。这样等收购事件冷却后，再一举出资收购山风资本，达到间接持有山风资本持有的该公司 5% 的股权，这样成为一致行动人后，荆石持有该公司的股份比例将达到近 10%，一举成为第二大股东，可以提名董事会成员，并尽快提出启动矿产的投资开发议案。

但眼前这个半路杀出的"程咬金"，不但资金实力看上去雄厚，出手还异常彪悍，什么震荡洗盘，盘中骗钱，吸筹过程一概不用，只采用高举高打建仓的方法快速获得浮动筹码，完全打乱了自己的节奏。看着几个子账户上大幅度的浮盈，石俭又生不出气来。

意在长远，经历过无数次大风大浪的石俭，一时想不出应对的办法，只能决定走一步看一步，期盼1号股票里的这个猛人牛人能早点退出套现，那么自己也可以有个从容的建仓环境和可控的收购成本。

"大海，你来我这，有事找你商量。"石俭拨了个内线电话。

"不知是哪个混蛋在短线操作这只股票，5个交易日倒有4个涨停板。干脆，我们两边账户上的筹码明天全部扔给他，让他去举牌吧。"巫大海一进门就道。

"他手上的筹码和资金未必会很多，只不过我们持有了大量平时日常交易的浮动筹码，等于是帮他锁仓，他能不轻松吗？这种急吼吼的样子，基本是短线性质的操作，我们再耐心观望几天，要倒给他，也得上9元。那笔电子行业的股权和其他几笔挂到产权交易所的股权，一笔都没交易成功，缺少买家啊。这套不出资金的投资就是死钱，我看不如拿去做股权质押贷款，还能融些资金出来放到这上面来。"

"民间资本的贷款最快，不超过一周就能融来资金，不过利息实在很高。信托机构和银行的利息还在可承受范围内，但办下来时间周期比较长。"巫大海道。

"还没到向民间资本抵押贷款的地步，目前我们资金还很充裕，募集来的2亿资金还没动用。不过我初步计算了一下，即便这只股票再回6元左右，资金上也有缺口，还是找我们以前那家经常打交道的银行吧，这行长眼皮眨都不眨收下了玉笔筒，好办事也不好办事。这几笔产权交易所挂牌出让的股权，先拿去贷款吧。还有这笔被法院冻结的股权，也拿去碰碰运气，可能也能贷出款来。"石俭说完，从抽屉里拿出一把古色古香、扇骨包浆漂亮的纸扇出来递给巫大海道："这是费丹旭的人物仕女成扇，拿去作为礼品，此人定喜欢。"

巫大海打开成扇看了看，只见素面的纸扇上一个体态纤细的女子正手执一把宫扇，正欣赏着庭前蝴蝶在花丛中飞舞的场景，女子身后点缀着几片芭蕉叶子和一尊瘦骨嶙峋的湖石。纸扇的背面有数行诗句。便道："是名家吗？我没听说过这名头。这女的画得也不觉得美啊？弱不禁风的样子。"

"让你多看看艺术展览吧，你没兴趣，说出这样外行的话。那个时代的仕女都是画成这样，如果用现代的审美观来看，恐怕就连唐寅的仕女画，也未必符合你的标准。这衣服的色彩以素雅为美，缠足便是以三寸金莲为美，你以为是现在那些人工美女，哪个部位都能来上一刀，该大的地方大，该细的地方细，那都是现代科技的推波助澜，那时候可没这么多人工，除了小脚也是靠硬缠出来的之外基本纯天然。这把扇子的缺点在于题写书法之人名不见经传，这就使扇子的价值受到一定影响，如果是同时代名家书写，那价值就更高。不说了，和你谈这个是对牛弹琴。这几天就去接触接触，贷出款最少也要半个月后了。"石俭笑道。

巫大海摸了摸红红的酒糟鼻后也笑道："没艺术细胞也没文学细胞，自觉面目可憎，唯酒懂我。"

接下来的几天，荆石资本的 1 号股票股价连续攀升，当股价接近 9 元整数关时，石俭开始萌生退意。

看着账面赢利几乎翻倍的利润，以及如果强行再增仓的高成本，他权衡再三，决定先把荆石子公司账户上的筹码全部套现。他开始大肆减仓，顿时 1 号股票盘口千手卖单如雨。股价在短时间遭遇密集而强大的沽售，加上短线获利盘的丰厚，股价终于迅速展开连续冲高后的大跳水。当日股价被打至跌停后，石俭没有卖出的筹码近 6 万手牢牢封住了 7.83 元的跌停价。

第四十三章

随着时间的推移，跌停价上的卖单逐渐积累到了 12 万手左右，石俭想了想，撤掉了 6 万手的卖单，然后用募集资金的专用账户，一笔买单把跌停上的 6 万余手卖盘全部扫光。

股价在这笔买单的介入下，打开跌停后迅速出现了反弹，但此时心有余悸的短线资金再也不敢盲目杀入。而未及时减仓但获利丰厚的持股者，利用打开跌停的机会，开始减仓，股价在维持了不到 10 分钟的拉锯后，又被一笔 8000 手的卖单砸至跌停。

石俭打开子公司的账户，开始连续买入跌停上的卖单，但没有一笔去扫光。随着短线获利盘的出逃，跌停价上的卖单又越积越多。

他小手笔吸纳至收盘前，子账户又拿回来 100 万股左右。

收盘前三分钟，跌停上还有 3 万多手的卖盘等待成交，石俭直接用专用账户报了笔 7.84 元的 3 万手买单进去。收盘时，该股未打开跌停，仍以 7.83 元的跌停价结束了一天交易。石俭的 3 万手买盘全部成交，跌停上还剩几千手卖单未成交，这是石俭的伎俩，不想让它打开跌停后收盘。

石俭盘后统计了一下，几个子公司账户卖出 400 万股，又买进 100 万股，账户持仓共 700 万股；专用账户两笔扫货跌停板上的封单，共买进 930 万股。所有账户共持有 1 630 万股，比原先的 1000 万股多出了 630 万股。

次日，石俭在开盘前给小红下了买入指令，让她在 7.83 元的收盘价

下方继续买入，如果股价翻绿盘，那么有多少买多少。

集合竞价开盘后，1号股票以7.65元的价格低开，开盘手数为1万手，石俭立即以7.75元的价格申报买入5000手。开盘半个小时，该股在7.83元收盘价以下震荡整理结束后，又被买盘连续推升至8元，然后又在7.83元到8元之间震荡了半个小时。

石俭在1个小时里，又买入了200万股筹码。10点30分后，股价又开始震荡攀升，他一看外盘和内盘的对比。1个小时里，外盘的买入手数超过内盘卖出手数的30%。除了己方外，还是有资金在持续买入。

他犹豫了一分钟后，狠下心来打开账户，继续开始买入。当股价接近8.50元，专用账户又增仓了300万股。股价离涨停还有一步之遥，但股价开始变得滞重，8.50元以上大卖单大举压境。

"小红，现在你那边总共多少筹码？"石俭拨通电话后问道。

"今天在7.83元下买入150万股左右。"电话那边道。

"继续买，现在8.50元上卖单比较多，都扫掉看看还有没有大卖单继续甩出来。10挡卖盘只能看到8.59元以下的卖单，8.61元的涨停价上有多少卖单看不了。"石俭道。通话结束后，1号股票8.50元上的大卖单被连续扫光后，在涨停价8.61元上露出了10万手的大卖单。

石俭又拨了个电话给小红："凑足3 950万股，就8.61元的价格上再买7万手。一定要计算好，不足4000万股，少个几十万股留有余地，动手吧。电话别挂！"

石俭说完，紧盯涨停价上的成交回报，一笔7万手的买单在涨停价上成交后，电话中马上传来小红的汇报："成交了，现在总持仓数是3 957万股。"石俭点点头道："今天开始就暂停买入了，再次买入我会通知你。"

他放下电话后，打开专用账户，把涨停价上剩余的2万多手也一笔扫光。扫完这笔后，石俭并没有继续下单，1号股票被封住涨停后又被卖盘砸开。反复在8.61元到8.55元震荡至收市前一刻钟，大笔的卖单又开始沽出。石俭陆续申报进买单一笔笔地吸纳，至收市，荆石的各账户已持有了2100余万股。1号股票收市报8.45元，仍较上一交易日大涨7.9%。

石俭看了下账面上的资金，荆石公司这边已经没有吸纳5%即4000万股的实力，公司不断进行的股权转让和二级市场大举减仓的资金，都不断向山风资本注入，以保证山风到达第一次举牌线的股份收集。

他看了一天盘，眼有些酸痛，头也有些微微的疼，便站起身，点燃了石楠木烟斗，在房间里来回散起步来。

走动了一会儿，他坐到沙发上，拿起一大沓折叠在一起的报纸，翻开了准备随意看看新闻。一封信函从报纸内掉了下来，石俭从地板上拾起一看，是封本地寄出的平信，地址和他的名字都是用打印纸打好后裁成一小条粘在信封上。

石俭一天都在忙于交易和看盘，这信是随着报纸一起送上来的，早晨就到了。石俭打开信封，里面是几张打印纸，纸上的内容是几封电子邮件的打印记录。石俭看着看着，脸色开始严肃起来，看完所有的内容后，他用力拍了下沙发扶手，然后猛吸了几口烟。

冷静了一下后，石俭拿了张便签记了下信中的内容，把信塞入内兜后，走出办公室。他来到资管一部后，对正在研究 1 号股票成交回报的小林道："我上面的电脑有些不稳定，页面老是打不开，你常用哪台电脑？我看会儿新闻。"

小林忙站起身毕恭毕敬回答道："这几台是操盘用的，平时不作他用，我们部门的人，一般上网看新闻什么的都用那台。"说完指了指墙角的一台电脑。

"行，你看你的，我玩会儿电脑。"石俭说完，坐到了墙角那台电脑前。然后他先打开了几个网站随意浏览了一会儿，有意无意地问了句："最近他们几个都在外面跑股权转让的事，没回公司吧？"

"是的，都很多天没回公司了，到现在还没跑出点眉目来，他们也都很急。"小林道。

石俭点了点头，打开一个网站，然后点了这个网站的邮箱链接。邮箱页面跳出来后，石俭看了下账号上的邮箱名，掏出便签扫了一眼，然后把邮箱页面关掉，把便签揣进兜里，不动声色看了会儿新闻，便起身说："行了，我各部门去看看。"

石俭出了门，慢慢踱到巫大海的办公室门前，想了想，又折身下了楼出了公司，径直驱车前往金湖俱乐部。

"小五，我正往你那里去，把监控视频全都关了。把后面那扇安全通道门打开等着我。"石俭在车上道。

车开到金湖俱乐部附近时，石俭把车停在了另一幢大楼前，然后步行到金湖俱乐部的后门。小五已经在门里等着，见石俭铁青着脸走了过来，忙道："董事长，怎么了？"

"视频监控都关了？"石俭脸上不多的肌肉都绷紧着。

"都关了，俱乐部现在也没什么人，还没到上班的点。"小五道。

"走，办公室里说。"石俭吩咐后，便径直往小五的经理室走去。

到经理室后，石俭直截了当道："公司出内奸了，得干掉他。你有什么建议。"

小五愣了愣，犹豫了一下，还没开口回答，石俭便冷冷盯了他一眼。"这个我真不是内行，打架砍人以前常干，杀人可没经验。"小五道。

"把人灌醉了推湖里去，有难度吗？不行的话，我出钱让人去做。"石俭脸色缓和下来道。

"这个没难度，我能办到。"小五咬了咬牙说。石俭点了点头后道："打这个电话给这个人，让他开自己车来金湖俱乐部，把车停在后门。让他别和其他人说起这事，就说公司有重要的事，拿这张电话卡打。"石俭说完掏出一张手机卡递给小五。

小五按照石俭的吩咐，打电话让资管一部的小林马上来金湖俱乐部。

"这人酒量如何？"小五问。

"以前公司聚餐时，属他酒量最小，但保险起见，你拿瓶白酒出来，那样胃里酒精浓度就大。"石俭道。

小五从身后的酒橱里拿了瓶高度白酒出来后道："推这湖里恐怕太过明显，还是弄江里去更好。灌醉了我来开车，把他带到江边，然后移到驾驶座上，选个僻静而又能直接冲入江中的小道就行了。"

"这办法可以。你去后面等着他吧，见到后直接带过来。"石俭道。

　　小林行色匆匆赶到金湖俱乐部后，找到了俱乐部后门。把车停好后，见安全通道的铁门那站着个大块头，并向他招手。小林知道金湖俱乐部是荆石公司出资建造，细看那大块头是俱乐部的老板，并未起疑，便走过去道："您找我有事？"

　　"石董在里面呢，有要事和你谈。跟我来吧。"小五道。

　　把小林带到经理室后，小五把门从里面锁好，便堵在门口看了眼石俭。

　　"石董，找我有事？"小林这时才感到奇怪。

　　石俭从兜里掏出张便签，逼视着他道："这是你常用的邮箱地址吧？"说完便把便签扔到地上。小林见石俭脸色铁青，战战兢兢拿起便签看了眼，然后点了点头道："这邮箱是我常用的。"

　　石俭脸上毫无表情道："公司做1号股票的事，泄密了。本来巫总跟我说可能泄了密，我还不信，今天算是找到原因了。这事在荆石，只有四个人知道，为了让你代为操作，我还特意把你部门的其他同事支出去办事。公司对你不薄啊，为何要做这样的事？"

　　"泄密？什么做这样的事？石董，您说的话我听不懂。"小林紧张道。

　　"拿去自己看，这个邮箱地址是你的没错吧？你邮箱是与人共用还是密码过于简单？"石俭把几张打印纸从信封中抽出来，扔在小林脸上。

　　小林捡起来后，两手哆嗦着展开打印纸，越看脸色越惨白。"这是污

蔑，这是陷害，我从来没发过这样的邮件，收件人邮箱根本就是没看到过的陌生地址，认识的人我都添加备注。您这有电脑，我打开给您瞧。"

小林气急败坏地打开邮箱，然后点了已发送邮件和收件箱给石俭看。石俭摇了摇头道："猪才会把这样重要的邮件保存着，彻底删除后是无法再找到以前的邮件记录的。我只问你一个问题，你的邮箱有没有被人使用过？这种邮件打印材料能不能把别人的邮箱名 PS 成你的邮箱名？"

"我的邮箱确实没给人用过，电脑做假我不在行，肯定有人做了手脚。"小林这时反而冷静下来。

"这上面邮件的时间，和 1 号股票被其他资金进场扫货的时间非常吻合，天下哪有这么巧的事？再给你个机会，公司操作 1 号股票这事，你还告诉过谁？"石俭用锐利的目光副视着他。

"我……这事公司前台的小云知道，她上我家来时，我电脑上就开着 1 号股票的分时走势，没来得及关。她好奇地问了我，就说漏了嘴，说是我在操作这只股票。"小林低着头道。

"黄毛丫头懂什么？这事真不是你干的，就把这瓶酒喝了，以表你的清白，敢不敢？"石俭指了下桌上的高度白酒沉声道。

小林看着白酒迟疑了一下，马上拿起酒瓶，可弄了半天，手忙脚乱也没把盖打开。小五走过去，轻松把盖打开后，把酒瓶递给他。

小林把酒瓶凑鼻子上闻了闻，皱着眉头喝了一口，马上就呛了起来。"别急，慢慢来，喝几口就习惯了。"石俭冷笑一声道。

"腿怎么轻飘飘的？能换红酒吗？"小林又喝了两口，目露哀求之色。

"喝吧，只要喝半瓶就算你清白。"石俭扬了扬下巴睨视着小林。

小林深呼了口气，又咕嘟嘟连喝几口。"我……我真喝不下了。"

"那小五你帮他喝。"石俭命令道。小五走上前，一把抓住小林头发，然后用力往后扯了扯，小林吃痛，头便仰起来，小五趁势往他嘴里塞进酒瓶，咕嘟咕嘟灌下去。灌了不到半瓶，小林腿一软，一屁股坐倒在地。

石俭拿出块手帕，把电脑键盘和鼠标等擦拭了一番，又把酒瓶也仔细擦过，"可惜糟蹋了这么一瓶好酒。"

等了一会儿，见小林已昏然入睡，便道："嗯，差不多了，半瓶足以让他睡上几小时。你戴副手套去，然后把他扛上车。这酒瓶我来处理。办完事后别给我打电话，我明天下班后还要再过来一次。给你的那张手机卡销毁掉。"

太阳从东边升起，新的一天又到来了。

石俭在股市开市前，先打了个电话给小红，"今天开盘就再买 50 万股吧，直接到举牌线，买好后通知我。"

1 号股票跳空了 2% 低开，9 点 26 分，小红就打来了电话汇报，说山风资本的账户上已经持有了 4000 万股 1 号股票的股份。

石俭又拨通了岚卉的电话。"已经满 5% 举牌线了。你看是你主动联系他们公司，还是由他们公司自己发布公告？"

"由他们自己发布也行，由我去联系也行，一般都要到明天发布公告，这对你有利，你那边今天还能继续买入，筹码不是越多越好吗？"岚卉道。

石俭没有说出消息已经走漏的事，他今天让小红买足 5% 股份，也是为了使消息尽快明朗化。真正的消息散布出去了，就失了朦胧感，这批与自己抢筹的资金就可能见利好出货。因为山风资本名不见经传，连散户恐怕都会见利好套现，这样自己的建仓成本能够降下来。

"这个价格继续大量买进，成本有些高了。你到收盘后联系上市公司吧。"石俭道。

"不但要通知公司，还要向监管机构和交易所作书面报告呢。你想绕过荆石和山风是一致行动人，到时候你再收购山风，理论上可行，但如果被查到山风的隐性股东是荆石就麻烦了，这是在玩火啊。现在两家加起来的持股数已经超过第二大股东的 5000 万股，但因为还不是一致行动人，山风仍然只是第三大股东。还无法影响董事会的决策。"岚卉道。

"收购管理办法中，有'是否有意在未来 12 个月内继续增加其在上市公司中拥有的权益'这一条，你到时就写'暂时没有继续增加'，接下来就由荆石唱戏了。我今天再加点仓。"石俭道。

石俭挂上电话后看了眼 1 号股票的分时成交，股价维持在 8.20 元到 8.30 元之间上下震荡。他一边申报出一些小买盘缓慢买入，一边拨了个电话给老刘。

"你把前台小云那女孩的应聘资料拿去核实下，譬如学历和身份证等资料，不要让她本人知道，然后尽快知会我。"石俭道。

挂了电话，石俭继续小笔连续买入。1 号股票股价二次上冲无法再创 9 元高点后，短线资金兑现意愿加强，盘口抛压比以往任何一天都甚。

石俭买了一天，只买到 200 万股左右。由于该股量能开始萎缩，这 200 万股基本就占了全体买入量的一大半。当天该股以 7.95 元报收，股价大跌近 6%。

下班前，老刘急匆匆来到石俭办公室汇报情况。

"身份证和学历都是假的。制作得很精良，看来是花了不小的价钱。"老刘递上几张复印件道。

石俭扫视了一眼，自嘲似的笑了笑道："既然都是假的，那也没必要再研究这个了。看走眼了。看来真是活到老学到老，永远跟不上时代的步伐啊。行了，这事我去处理。"

正式下班后，石俭在前台处招呼"小云"道："小姑娘，今天下班带你去见见送你去医院急救的恩人，你还没谢过人家。"

"好啊！等我完成手上的事就和您一起去，还有点资料要去打印室复印，您稍等会。""小云"说完后拿着几份材料小跑进复印室。

她一边把材料送入复印机，一边低头沉思了一会儿，然后飞快打开边上的电脑，打开邮箱后简短地写了封邮件。等材料全部复印好后，她拿着厚厚的一摞复印件走出复印室，见石俭已不在前台。她突然觉得有些心惊，腿肚子也有点儿发软。调整了一下之后，开始收拾东西，这时桌上的电话响了："我在公司停车场的车里等你，你结束工作后就过来吧。"

第四十五章

"小云"上了石俭的车后，石俭微笑道："工作都已熟悉了吧？年轻人脑子好使，学什么都快！"

"小云"点点头，脸上闪过一抹不安的表情，没回答。

到了金湖俱乐部后，石俭带着她从正门而入，然后径直往自己在金湖的套房而去。"这是我在这里的休息场所，平时陪客人吃饭，如果累了，可以休息一下，你随便坐。"石俭指了指单人沙发道。

"小云"坐下后，低着头也不四处打量也不说话。

"你不姓云吧？真实姓名能告诉我吗？为什么要弄假的身份证和学历？我想听听理由。"石俭拉了把书桌椅坐到她对面问道。

"我只有高中毕业。那大专学历是假的，身份证也就一起办了张假的，我想找工作，可现在做个文员什么的，高中学历不可能。""小云"回答道。

"你在这儿想清楚了再告诉我。"石俭说完后，步出房间，并在外面反锁上门。随后他来到小五的经理室。

"董事长，您来啦！事都办妥了，神不知鬼不觉。"小五起身说道。"这次干得漂亮，过几天我把金湖的股份转给你一些，以后你不但是这里的负责人，还是股东之一。我楼上套房里关了个人，就是和昨天那小林有联系的人，现在我连她的真实身份都搞不清楚。"石俭道。

"谢谢董事长！那要不要我去审问下。"小五一脸兴奋状。

"这个不用，小姑娘家不能用强。我看她和我女儿差不多年纪，这心就狠不起来，让她一个人待会儿，害怕可能会把情况说出来。开瓶红酒来，我们喝一杯，这一天累的。"石俭说完坐到沙发上。

两人对昨天的事又仔细梳理了下，石俭突然道："有个事我们可能疏忽了。这公路上有电子监控摄像头，那个可以清楚拍到驾驶员和副驾驶。"

"这个我想到了，所以全部找小道绕着开，出城后也没上高速，只走偏僻的农村小道，这一带我特熟，到江边有一条没监控的泥路。"小五得意道。

"那最好！你送点吃的去楼上我套房给她。你亲自去，不要找其他人。这是钥匙，出来别忘了把门反锁上。"石俭道。

"好，我这就去。"小五放下酒杯起身离去。

小五拿了份工作餐打开门进到套房后，见一个女孩正低头写着什么。"来，吃点东西，吃完后老实回答董事长的问题就好！不然，嘿嘿……有你的好果子吃。"小五恐吓她道。

女孩缓缓站起身，突然端起铝制餐盒上的一碗汤朝小五眼睛上泼去，然后猛地低头拔脚从小五的身旁窜了出去。小五猝不及防，一脸的汤水迷了眼，他大叫一声，使劲揉了下眼睛，然后转过庞大的身躯追了出去。

门口的保安见一女孩死命从里面奔了出来，还是个生脸，迟疑了下，就听后面老板的声音再喊："快拦住她。"保安回过神来，伸手一拉，没拉上，女孩小巧的身躯灵活地从他身旁闪出大门。保安连忙追了出去。

后面的小五突然喊住了保安，跟上来后边追边道："这里不用你了，你回。"然后拼命往湖边追去。小五气急败坏地追着，眼看前面女孩越跑越远，但突然拐进了一条死路，不由使出吃奶的力气追了过去。

"这是条死路。你跑什么？你逃不掉的！"小五气喘吁吁俯下身对着折返回来的女孩道。喘了会儿气后，小五向惊慌失措的女孩走去。

"别过来！不用你动手。"女孩说完便纵身往身边的金湖跳去。

小五愣了下，等反应过来时，女孩已跳入湖中。小五跑到湖边，见湖中已没了人影，刚想跳下湖去，后面有人声往这边传了过来。小五想了想，隐没在另一边的婆娑树影中。

石俭听到楼上传来喧哗声后，忙出了经理室，见女孩在前，小五在后往外面跑了出去。石俭暗道了声"不好"便跑上了套房。套房里一地的汤水，一个不锈钢汤碗掉在地上。石俭双目四下搜寻了一下，见沙发上留有纸和笔，便走过去拿起纸，纸上娟秀的字迹写了大半张。

　　我的父亲，炒股失败，在一只股票上亏掉了家里所有的钱，还欠了一身的债，最后跳楼自杀了，只留下了一大笔债务和悲痛给我们。母亲气急攻心精神失常，现在还住在医院中。家里把房子都卖掉了还债，外婆在乡下四处借了钱来维持母亲的住院费用。我高考成绩年级第三，本来能上很好的大学，但家里这种状况哪来钱再供我上学？造成家里这种惨状的，都是那只害死人的股票，而操纵这只股票的罪魁祸首就是荆石。利用假重组的消息设了个局吸引像我父亲这样的小散进去，所以我要报复！

　　我学了很多股票方面的知识，这要感谢我的师傅，这也是我逐步弄明白父亲是怎么会输钱的。跳湖是我混入荆石的计策，这是铤而走险的一着棋。我来邑城寻找调查，在荆石公司每天上下班时躲在附近一个个地认人，逐步掌握了你石俭的动向，发现你爱到金湖俱乐部的观湖平台上钓鱼，然后我就冒死在那天跳入湖中。我本来不会游泳，如果没人相救，计划也就落空。没想到，被人救了上来，而且是被你石俭救上来的，这或许是命运的安排，老天的有眼。

　　进入荆石比意想的顺利，我逐步开始寻找能打探荆石秘密的人选。这时候，资管一部姓林的出现了，他假借醉酒玷污了我，我为了能获取更多信息，暂时忍气吞声没去揭发他。等我逐步探听到荆石在操作这只股票后，我发现姓林的所知道的核心机密不是很多，便利用平时看到他输入邮箱密码并默记在心的方法，进入他的邮箱，用事先注册好的收件人地址，再写了透露荆石在操作这只股票的内容，打印好后寄了封匿名信。没想到信发出去后，姓林的就不见了。我预感会出事，可我已经失去了活着的意义，所以没跑，抱着侥幸的心理继续留在荆石，打算物色下一个探听信息的人。没想到，多此一举的假学历和假身份证害了我，其实这只是当初心血来潮办的，主要是为了调查荆石而在附近随便找个工作在这城市住下来。

　　我最终的目的是让荆石名誉扫地和破产关门，至于你石俭是

否会自裁，我没敢多想，不是每个人都像我父亲那样懦弱而不负责任，但他总是生我养我的亲人，他的冤屈，只有我这个弱小的女子能来复仇！但现在，既然已经被你们识破，我的仇就没人替我再报了。

希望我死了后，能在地底下看到荆石的垮台！如果真有这样的因果循环，那么老天还算开眼，我死了也瞑目了。

石俭看得背上直流冷汗，最后几行怨毒的文字像剑一样深深扎在他心里。他屏住气慢慢走进洗手间，深吸了一口气后点燃了这张感觉分量重逾千钧的纸片，等烧成灰烬后扔入了抽水马桶。

正当他愣愣地看着已烧成灰烬的纸片慢慢被吸入水中，小五在外面轻声说道："人没追到，跳湖里去了。我已把监控视频抹了，保安也仔细吩咐过了。"

　　"书生，这次托你的福，这只股票确实被举牌了！你的消息可真准。今天一大早就出了举牌公告，不过我看这举牌的公司没啥名气，听都没听过，老板还是个女的，而且说暂时没有继续增加权益的打算，那不就是举一次就没动静了？这股的大股东持股数虽然不多，但也占总股本的18.75%，就拿了5%后不继续增持二次举牌，题材也就尽了。这个东西要打起架来才好玩，大股东反收购，这边举牌的也抢筹码，那股价就不知高点在哪了。你今天准备见好就收不？我觉着会见光死，毕竟股价翻倍了。"牛疯子大清早就把还在梦中的云在天吵醒。

　　云在天看了看床头柜上的电子钟，8点还没到。"老牛，事情不是你想的那么简单，你看昨天卖压那么厉害，股价也打不到跌停上去对吧？还有资金在继续吸纳，这个不用我来说，你也看得出。费了这么大劲，达到第一次举牌线就不玩了，我感觉不可能。这公司股本易于收购，大股东持股数较少，这个资金绝不会为了其他账户上赚点差价而冒举牌被监管部门关注的险。我还没起床，等会儿打你电话，我开电脑看下举牌公告，研究下举牌公司再说。"

　　"谁呀？嗓门这么大？你要起来吗？再陪我睡会儿。"身边的唐瑭抱住云在天撒娇道。

　　"别闹，干正事了，我们拿的那只股票被举牌了，我看看上市公司公告去。"云在天起身道。唐瑭也坐了起来，伸了个懒腰："这消息准。这次

被你押对了！"

"走光啦！让你买不买，消息就算不准，现在股价也翻了个倍。"云在天指了下唐瑭胸前滑落的被子。

"去去！"唐瑭随手拿起一靠枕扔向云在天。

云在天打开电脑，仔细阅读了举牌公告。邑城这个字一入眼帘，云在天怔了怔，随即脑海中浮现起同自己师傅聊天的景象。"这个邑城市，有家专门运作资产重组为主的机构叫荆石，独爱即将退市的公司，有几个成功重组的案例被市场津津乐道，公司的资产虽然在资本市场上算不上什么，但以小博大的手法很高明。"

"这个山风资本突然冒出来，和荆石不知有没有什么潜在的联系。"云在天暗自嘀咕。

他在网上搜了下山风资本，没任何新闻采访和词条显示，又搜了下荆石公司，一下就蹦出来大量的报道。云在天一页一页地搜寻着，突然一个名字映入眼帘——岚卉。这是一则邑城当地新闻网站上一年多前的短小报道，文中出现的这个名字，和山风资本的法人是同样的人名。

云在天摸了摸鼻子，心中豁然开朗。"这山风资本和荆石必有密切联系，虽然表面上看不出有什么关联关系。"

"老牛，不能抛，如果你有资金，还能继续买，现在的价格绝不是最高点，捂着肯定会有惊喜。我已经研究过了，从蛛丝马迹中判断，以后还会有继续的收购行动。你要是相信我，你就放着，我这次是坚决要看他们搞什么名堂，最多股价再打回原形。"

"相信你。我现在资金有限，最多只能再打一个涨板的'子弹'，我把以后会继续收购的朦胧消息放出去，使劲地大喇叭唱，总有人会信我的。把股价打得越高，造成抢筹的态势，这举牌者收集筹码不顺利，就得继续出大价钱收集筹码，那对我们这些低位买入的而言，轿子就越坐越舒服了。"牛疯子道。

云在天又和牛疯子扯了一会儿，那边唐瑭轻声地嘘嘘再给他打"暗号"。云在天回头见唐瑭做出刷牙洗脸的动作，点了点头停止了聊天。他刚想站起身，手机又响了，云在天看了眼，忙对唐瑭道："是小齐。"

"头儿，我小齐，打你电话好久，一直拨不通。举牌公告出来了，您看到没？我们公司现在在紧急开会，有主张套现利润的，有坚持继续持有的，还有建议继续买入的，吵得不可开交呢。公司最近连开了几期新的份额，正找不到合适的投资标的，您那边有什么新的内部消息？这次消息太准了，我就知道头儿不会给我吃药。"小齐对云在天的称呼仍然没改口。

"这价格能继续买入。我刚已经分析了很久，必定会继续举牌，现在已有的筹码可再放上一段时间，至于你们公司是否需要继续买入，那得你们老板决策。"

"知道了，我这就去汇报。我们老板知道您。"小齐道。云在天尴尬地笑了笑，自己这样的典型，谁不知道啊？好在尴尬的样子，只有唐瑭一人能看到。

股市集合竞价开盘后，这只股票以8.75元的涨停价开出。但9点30分后，在涨停价上持续的时间不到5分钟，即被大量的卖盘砸开涨停。股价迅速回落，几分钟内便几乎被抛盘打到上一个交易日7.95元的收盘价。

云在天看唐瑭已经出去买东西，便自作主张用她的钱以8.05元价格买入了10万股。股价在上一交易日上方上蹿下跳了十几分钟后，一股买盘连续推升股价。买入的手法既非牛疯子的典型方式，也非以往盘口见惯的买入方式，而是连续的每笔188手申报手数一分分往上买。不论上面有多少卖单封堵，每笔188手的申报数量始终未变，当股价连续推升至8.30元时，在8.30元上突然出现了8000手的大卖单封堵股价。

这批连续申报出188手买单的资金，有一分钟左右时间的停滞买入，好像是有所思考，但随即又开始了稳定的连续188手的"蚂蚁啃骨头"。

有资金急于兑现的，都在8.30元的大卖单下，以8.29元、8.28元的价格卖出，但这188手的连续买单丝毫不为所惧，不间断耐心地以188手的单子向上扫货，但绝不化零为整一笔扫掉这8000手的卖单。

连续的不间断买入，8000手大卖单被看似无尽的188手买盘拱掉。

市场人气随之被这188手带动，沽空盘开始迟疑，试探性跟风盘开始出击，随之而来的是越来越多的买盘加入到多头阵营。当188手买盘被大量的买盘裹挟着消失时，股价已上冲到8.70元左右。在8.70元之上数万手卖单排列成阵势，以防御多头的冲板决心。

跟风盘开始观望，减仓套现盘慢慢又开始占据主动。

这时，188手再次重出江湖，以连续的耐心买入来消化又开始增大的抛压，在8.60元以上组织起顽强的抵抗。经过半个小时的搏杀，卖盘终

于在"顽固"的188手买盘下折服，见利好兑现筹码的短线套现盘都看傻了眼，大家好像都被这188手的气势所压倒，任你再大的单笔卖盘，也砸不破这188手组织的向上攻击力量。

8.70元以上的万手级大卖单开始频频撤单。几分钟后，188手买盘的主导力量已攻击至涨停价8.75元。涨停板上本来还有3万多手的卖单在等待成交，这时好像都苏醒过来，见这连续的188手又来扫涨停上的挂单，纷纷"夺路而逃"快速撤单。不到1分钟，2万多手的卖单已经撤掉。但这连续的188手买单也不管你们撤不撤，仍然不紧不慢以每笔同样的手数连续买进。

云在天看得几乎要笑出来，在佩服这批资金的耐心以外，也对这批资金的背景产生了浓厚的兴趣。这时，他听到唐瑭回来的关门声，看了眼已经封住涨停的股价，连忙打开账户，把开盘后8.05元买入的10万股一笔卖了出去。

"亲爱的，我回来了！今天表现怎样？第一天出消息，应该开盘就涨停了吧？"唐瑭一边说一边走向厨房。"开盘涨停后被打开，现在又封上去了。"云在天道。

接下来的几天，云在天又做了几把盘中T＋0的短线操作，虽然随着股价越往上，短线操作动用的资金越少，但账户上的总市值却水涨船高。

这天，云在天正在看盘，这只股票已经连续上攻到11元大关。云在天忍不住想做把倒T，在股价冲高时减掉几万股，然后等盘中回落后拿回来。还没动手，手机提示邮箱有新邮件。

云在天打开一看，是桐桐发来的邮件，他打开后看了起来。

师傅，上次和你发过邮件后，没有更多消息获得。

我的真名叫童桐，桐桐是我小名。我的父亲买了一只不该买的股，跳楼死了，我妈疯了。我之所以不回家，是已经没有家可去，我外婆要上医院照顾我妈，我不能再成为她的累赘，谢谢你这些天收留了我。

我现在长话短说，时间很紧迫。我去了让我爸亏损严重的那个庄家的公司，想尽办法探听一切，这家公司叫荆石资本。上次我给你说的那只股，就是他们在做，具体的我还没全打听清楚。

你给我炒股的钱，我都买了这只股票，我用长途做的电话委托交易。证券资金卡和银行卡都在原来你住的地方，书房书桌第一个抽屉里。我现在拜托你一件事，如果收到这封可以临时取消的定时发送邮件，就意味着我有不测，可能已经不在这个世上。你把卡上的本金拿回去，这只股票上赚到的钱，就麻烦转交给我妈，她住医院很缺钱，可惜我已经不能再赚钱给她了。

附件里是一些荆石公司操作股票的成交记录，能得到的也就这么多，是付出惨重的代价换来的。不知道能不能成为控告这家公司的证据，如果可以，请你以匿名方式公布出去。

我要走了。请让我再叫你一声师傅。

第四十七章

云在天看得呆了，这个与自己同住一个屋檐下的女孩，竟然有这么悲惨的遭遇。自己和她同住时，一点都没发觉。云在天拍了下自己的头，颇为懊恼，开始埋怨起自己为何当初不带着她一起四处漂泊，她也就不会深入到这家公司去。

他打开邮件中的附件，大量的成交回报截图呈现在眼前。仔细看了一会儿，大单对倒交易有很多笔，虽然不是很具有说服力，但涉嫌股价操纵的证据是足够了。

这时，他想得最多的是童桐的安危。思考了会儿，他起身走到厨房对正在洗菜的唐瑭道："我准备去调研一下这家公司，中午就过去，最迟明天晚上就能赶回来。"

"怎么说走就走？心血来潮的，都涨了这么多，调不调研没啥作用了。"唐瑭白了他一眼道。

"都和人说好了，当地有个以前的师兄弟，人熟好办事。乖，我去去就回。"

"那我去帮你准备行李，真是的。"唐瑭不乐意地说道。

傍晚时分，云在天乘坐的航班抵达了邑城。他从机场直奔荆石公司，6点多光景到达公司时，早已下班。

云在天看着上锁的公司大门，无奈折身向外走去，在停车场的亭子间里，意外看到看车的老人还在吃饭。

"向您打听一个人，这公司有没有一个叫桐桐的女孩？"云在天问道。

老人抬头看了眼云在天，"没听说过，这公司每天进进出出的人我脸都熟，但名字就不清楚了。有相片没？"

云在天"啊"了一声，心想这层倒没想到，大老远的过来，没照片寻人那就如同大海捞针一般困难了。

他丧气地摇了摇头，转身向大街对面蹓去。

突然间，桐桐拿着自己手机在书房电脑前摆出各种 pose 自拍的景象在脑中闪过。他连忙打开手机相册翻了起来，只翻了几张，桐桐作出可爱表情的自拍就在显示屏上出现。

云在天心里忽然一阵揪痛，忙拿着手机回到亭子间，把手机递给老人后问："就是她，您见过没？"

老人脸上突然一阵奇怪的表情："这闺女是你什么人？我认识，以前在这公司做前台，看到我都要叫爷爷，嘴甜着呢。唉……一转眼，人没了。"老人说完叹了口气，把手机递还给云在天。

"什么？什么人没了？"云在天像泥塑一般呆然不动，过了会才迟疑着问道。

"掉湖里去了，新闻上是这么说的。具体我也不清楚，你还是明天去她公司了解情况吧。"老人似是不愿再多说什么，转过身开了小半导体听起广播来。

云在天瞬间只觉天旋地转起来，好一会儿才平静下来。

天空黑黢黢的没有月亮和星光，夜色凄凉。他缓缓走在潮湿的大街上，脑中全是桐桐可爱娇羞的神态。好端端一个人，说没了就没了，云在天一时半会儿无法回过神来，不知不觉走了好长一段路。

一阵冬季的刺骨寒风吹在脸上，云在天慢慢恢复了神志。

他冷静地想了想，明天去荆石，肯定会被怀疑。自己在此人生地不熟，于事无补，反而打草惊蛇，不能完成桐桐交给自己的重要任务。

想通后，他随便找了个旅馆住下。

隔天，他找了两家侦探社，提供了手机上桐桐的几张照片，各预付了一些定金，要求他们把女孩落湖这件事查个水落石出。等调查有眉目了，按提供的信息资料有用程度和证据链再支付不同的报酬。把调查任务布置完后，他才返回居住的城市。

回家后，云在天对此事闭口不谈，也没谈调研的事，只是一门心思关注这只股票的走势。

过了几天，荆石公司举牌这家公司5%的披露公告也出现在财经媒体上。

作为收购公司的知名猎手，荆石资本的知名度远高于名不见经传的山风资本，举牌公告在市场激起了巨大的反响。无数资金涌入这只股票试图分杯短线暴利的羹，股价在大批资金的热捧下连续涨停。

云在天看着16元左右的股价，反复权衡再三，拿起桌上的固定电话，拨通了以前居住城市桐桐开立证券账户的券商委托交易电话，把桐桐持有的不到1万股股票一笔清仓。查询卖单已全部成交后，云在天打开唐瑭的账户，开始几千股几千股地抛售。

"怎么？忍不住现在就开始抛了？听说举牌的这主很有实力，不再看看？可能陆续还会有继续的举牌动作呢。"唐瑭端着茶给云在天喝时，正好看到他在16.15元卖出2000股。

"正主出现了，就该套现了，上次举牌只是铺垫，这次不走就傻了。做股票就得揣摩别人的想法，不能光看那些浮在表面上谁都已经知道的东西。以前很多次见利好兑现，基本上就没错过，最多也就是卖得早一点而已。先陆续抛掉10万股。"云在天道。

"也是，都快翻3倍了。就这价全部抛干净，你就800万身价了哦，大款，不会把我甩了吧？"唐瑭半开玩笑道。

"资金都在你账上了，以后每月给我点零花钱用就行。去忙你的吧，这几天我要全部清仓，守在电脑前。"

接下来几天，云在天不断逢高减持，当股价到达17.80元时，全部清仓完毕。

看着账面上大幅增长的资金，云在天怎么也乐不起来，桐桐的笑容又浮现在眼前。

这时，手机响了。"书生，你抛了没有？这几天我陆续开始减仓，可越减越涨，股价上18元了，都不敢抛了。"牛疯子探听道。

"全部清仓了，我知足了，再上去就是别人的，哪有把利润吃足的神仙？这价格，我觉着无论什么样的利好都包含进去了，一旦有什么变化，大家一起抛，那就抛不出去了。"云在天道。

"好！那我现在加大卖出力度，我手上的筹码砸出去，这上行的趋势肯定会受阻，既然你都清仓了，那我就不客气了。"牛疯子道。

　　通话结束后，盘口马上出现了大笔卖单的主动性抛压，本来抛盘不多的盘口，顿时被集中的卖盘打到掉转上升势头，转升为降。

第四十八章

云在天马上打了个电话给小齐，告诉他自己已经全部清仓，让他公司考虑下需不需要套现出来。

连续的卖盘一直把股价砸至跌停附近，快速下跌引来了一些短线抄底盘，但源源不断的抛盘杀出，终于把股价砸至了跌停。

次日，该股发布公告称：公司股价连续 3 天触及涨跌幅限制，公司没有应披露而未披露的公告。公司下属企业拥有的镁矿开采权，该镁矿实为贫矿，开采难度大，先期投入成本高，公司拟将此开采权转让，以筹集资金贴补主业现金流严重不足的问题。

此外，公司接第二大法人股东的书面通知，公司第二大股东陆续通过二级市场减持本公司股份 3000 万股。本公司大股东也通过二级市场减持了 800 万股，特此公告！上午临时停牌一小时。

"书生，这次又幸亏你提醒，要不然我还下不了决心清仓。虽然没有能全部出清，但余下的筹码也影响不了总体的盈利幅度了。要是像你那样提前不断减掉仓位，现在就空仓无股一身轻了，还是贪念在作祟。等会我直接挂跌停排队出货。我觉着这公司悬，人家举牌了，他准备把这块已经在市场广为传播的资产卖了。大股东和二股东乘机减持，现在荆石和山风基本是并列第二大股东。我看弄不好，这大股东也不想控股了，兑现了资金就把这烂壳的控制权拱手让人，谁爱控股谁控去！"牛疯子道。

云在天从字里行间品味出这公司确实有把控制权易手的想法，这消息恐怕要几个跌停了，本来股价连续的上涨就是市场在赌这个最近才流传开来的镁矿开采权消息。现在被大股东一解释，又是贫矿又要转让的，利好因素瞬间瓦解，而且重要股东还大幅减持公司股份。云在天暗自笑了笑，荆石这下可有好果子吃了。

10点30分，该股停牌一小时后复牌，股价直接以跌停开出，跌停上的卖单高达十几万手，前阵子疯狂做多的资金犹如晨雾般瞬间消退，还抱着侥幸心理的做多思维被巨大的、无情的抛盘吞噬殆尽。

云在天起身，心道：该是寄出那些荆石公司股票交易回报资料的时候了，希望能起到再踩上一脚的作用。

他出了门，找了个卖彩票的门店。这是他晚上出去散步踩到的点，这里有上网的电脑，不用身份证，还没监控探头，是理想的发匿名邮件的地方。

进门后，云在天先买了一把即开式彩票，然后才坐到角落里，把已经存在邮箱里的附件，一个个输入收件人地址后寄送出去。这些邮件几乎囊括了所有能调查荆石公司账户日常交易的部门。云在天自从出了那事后，对这方面比一般人要熟悉得多。

随着时间的推移，这只被举牌的股票，股价暴挫。已经跌破了10元整数关，整个图形就是一个标准的倒V字形，怎么上去的还怎么下来。

云在天看着"飞流直下"的股价心中不由感叹：无法遏制的欲望，不断推升股价上涨；无法掩饰的恐惧，造成股价快速杀跌。羊群效应下，要做出客观、独立和清醒的判断是件非常不容易的事。

各类关于该公司和荆石资本的消息不断出现在媒体上。大股东连续减持，荆石资本遭监管机构入驻调查，荆石资本涉嫌非法集资，山风资本属荆石隐形出资控股。一系列重磅新闻刺激着市场中关注该股的所有人的神经。

这天，云在天看到报纸上有一篇专门的深度调查报告，主要是写这家被举牌的公司，涉嫌故意将隐蔽的资产内幕散播出去，然后通过钓鱼的方式吸引买家进入，以完成高位套现的真实目的，有关部门也已展开相关的调查。云在天拍了下大腿自言自语道："原本想钓鱼的，却被别人钓了，看来真得相信因果循环。桐桐，虽然你的心愿未了，但有人替你完成了。"

下午的时候，云在天陆续接到了私家侦探社反馈过来的信息。

"这一搞竞争，而且荆石内部现在恐怕又乱成一锅粥，消息没人出高价回收。吃了上家再吃下家看来是不可能了，只有从我这捞到一点是一

点。"云在天暗暗冷笑道。

"书生，我老牛。这几天没联系，我剩余的仓位在第三个跌停时才全部减掉，这次可谓大获全胜，不但把以前的亏损都捞回来还大赚一笔，客户现在也都很信任我，管理的资金规模肯定能再上一个台阶。新闻上说，由于涉嫌非法集资，荆石资本和山风资本持有的该公司股权被依法冻结。这就是连锅端了吧？我看以后还得强制拍卖来用于抵偿债务。书生你看这几天荆石控股和参股的股票那个跌，一个'系'连锁反应全面受重创，这下他们算是彻底趴下了，这就是资金链瞬间断裂造成雪崩。我听说荆石的老板失踪了，但公司负责融资的副总被拘了。"牛疯子道。

"私募性质的资产管理，目前也还没有法律上的限制，只要不出事，荆石还能继续发展下去。股价雪崩后资金链断裂，那就从此一蹶不振了，再要重新收拾起烂摊子难如登天。所以你也要从中吸取教训，任何时候都要有如履薄冰的危机感，千万不能头脑发热，拍脑袋决策。资产管理规模搞大了，就设个风控机制，把风险控制在可承受范围内。以前那种只有做多才能赚钱的思维，在做空机制和融券交易日渐成熟后，观念也得彻底更新了。"云在天道。

"你说得不错，麻雀虽小五脏俱全，看来是要专门设个风险控制小组，对重大的投资决策进行风险评估和约束机制。"

"这段时间我思考了很多事，觉得现在市场规模越来越大，监管手段也越来越细致完善，靠制造题材炒作推高股价吸引散户跟风接盘的路可能会越走越窄。还是得多跑上市公司进行调研，从利润增长点及未来市场份额及前景处着手，分享企业业绩爆发性增长预期下的稳健收益才是上策。另外，有做空机制但没融券，只能做空指数赚钱。有了融券，且如果以后向更多标的品种扩散，那么，是否会意味着个股的全面做空时代也将到来？做空个股也能赚钱后，将可能对盲目炒作题材概念而不看估值的投机体系予以重创。旧有的赢利模式和套利套路被彻底颠覆，那就得改变思维方式去顺应市场，寻找新的交易模式。"云在天缓缓说着。

"股指期货和融资融券应该是把'双刃剑'，股指期货既有做空机制也有做多机制。当市场处于熊市时，做空机制和融券可能会对指数的下跌和整体估值的降低起到推波助澜的作用。反之，当市场处于牛市时，做多机制和融资也可能会对指数的上升和整体估值的抬升起到助推和强化的作用。只不过当市场处于大下降周期时，把做空机制和融券的利空作用过于放大而已。但你说的或许有道理，我空下来也琢磨琢磨。不过大家都走调研的路，那光靠调研也未必能做到投资成功。那个，透给你消息的人没事吧？如果有事，我这愿意出钱给他养家。"牛疯子爽快。

"你说什么？哪有透消息的人？你别乱说，我可没买过这股，更没和你交流过任何关于此股的信息。以后这事别再提了，打死都不说，懂不？"云在天故作严肃。

"哦，懂了。我这不就……那行，希望你来我这边出谋划策，现在这样可浪费人才。"牛疯子笑了。

"现在这样的生活也不错，没压力很逍遥自在，想交易的时候交易，没感觉的时候出门游历下。没有利润指标，肩上没有重担压着，心中一片空明，你应该羡慕我才对。以后有空再联系吧。"云在天收了电话，萧索地看着趴在跌停上无法动弹的这只股票。

收到侦探社发来的调查报告后，云在天联系到了以前为自己炒作股票时做推手的炒贴人，把资料传真给他们后，让他们制定一个计划把这些信息传播出去。

第四十九章

"岚卉，我在你家楼下，你能下来一趟吗？"石俭站在寒风凛冽的楼道防盗门前，不禁打了个哆嗦。

"这么晚了，有什么事吗？我给你开门，你上楼来说。"岚卉在电话那头道。

"不了，我马上要走，没时间了，你快下来。"石俭打了个喷嚏后道。

"那好，我这就下来。我帮你把防盗门打开，你站门里来，外面挺冷的。"岚卉说完按下了楼道公用防盗门的开关。

石俭闪入楼道后，点起了一根纸烟，刚抽了几口，就剧烈地咳嗽起来。

"瞧你，都这时候了，还烟不离口。"穿着厚棉睡衣的岚卉快步从楼上走了下来，连衣服都没来得及换。

石俭猛抽了几口烟，扔了烟头后，递给岚卉一个大袋子后道："这个是能拿到手的唯一一笔钱了，一直藏在我以前住的公寓楼里，别墅是不敢回去了，这里面除了现金还有几幅字画和一些翡翠摆件。你先收着，钱别打到账户里去，等几年后风声过去了再使用。"

"我不要你的钱！你这是想跑路吗？公司现在乱成一锅粥，你怎么能离众人而去？太不负责了！还有，现在科技这么发达，你能逃到哪去？身份证什么的都是全国联网的。"岚卉看都没看一眼石俭递过去的大包，却死死盯着石俭的双眼。

"我最对不住的人是你。公司的员工大不了自寻出路，事也摊不到他们头上去。我不妨和你说明白了，我准备跑路，不是公司在股票上出的那点事，还有比这更严重的事，具体我就不说了，你知道的越少越好。至于山风资本的问题，出资人也是以我为主，你在公司没有出资，主要责任不在你，收购这家公司也是正常的市场交易行为。至于融资和以前股价操纵的事，和你更是搭不上半点边，你不过是一个工作人员，只需履行配合调查义务就行。我这一走，全部责任就我一个人带走了，最终决策权都是由我而定，和其他人无关。那张山风资本隐性出资方由我签署的文书，可以说帮了我们的忙，可以帮你免去大部分的责任。"石俭冷得一缩脖子，又接连打了几个喷嚏。

"你等着，我上楼拿件棉衣给你。"岚卉说完转身欲走。

石俭一把拉住她道："不用了，我的衣服要么在公司里，要么在别墅里，刚出门开车忘了穿，这就叫惊慌失措。要不是平时撒得多，有人通风，现在就可能已在局子里了。你把这袋子收了，算我一点心意。我这就走了，希望以后还能再见。"石俭说完，放下袋子，逃也似的开了防盗门就跑了出去。

只听身后传来一记重重的叹息之声。石俭心中悲凉，一个趔趄差点摔倒。坐上车后，他镇定了一下收拢心神，然后点火启动车子，离开了岚卉的住处。

驶出邑城后，岚卉刚才的话在石俭耳边回响。"现在科技这么发达，你能逃到哪去？身份证什么的都是全国联网的。"石俭紧皱眉头，冥思苦想了一会儿，决定先回老家那边人迹罕至的大山中先躲一阵，看看风声再说。

几小时车程后，石俭在一处县城把车扔了，然后买了件厚实的连帽羽绒服，又买了几个大口罩，改乘私人长途客车回自己老家的县城。

回到老家县城后，石俭买了一些面粉、一床被褥、两口锅及一些日常生活用品后，背着这些东西进入了县城后面的山林。

石俭的祖祖辈辈都是药农，以采药和种植药材为主。等到了石俭这辈，兄弟姐妹依然在干着这一行，而石俭从小不好这个，整天捧着书读，家里人拿他没办法，只好由着他去。

由于长期生活在山中，石俭从小还是掌握了一套在山林中生存的经

验，虽然不爱采药种药，却也对各种草药和可以当作食物之用的植物了如指掌。

走了几个小时，石俭慢慢接近打小就熟悉的山林，这里有很多岩石构成的山缝和山洞，大大小小如同迷宫一般，石俭小时候常和伙伴们玩儿捉迷藏，对这一带的地形非常熟悉。他找了个儿时经常去玩的山洞，这个山洞进洞后蜿蜒曲折，山风不宜直接灌入洞中。他把一大堆东西放下后，先坐了会，然后就拿了把小锯子步出山洞。

石俭在山洞就近处锯了些长长短短的较粗树枝后，先回洞绑了个做饭烧水用的支架，然后拿了一口锅去附近的溪流处盛水。这里的冬天来得晚，冬季下雪的时候不是很多，即便下雪也积不长久。

烧开水后，干渴难耐的石俭先喝了个饱。然后便去四处搜集枯枝储备干柴。冬天的山林食物缺乏，但这难不倒石俭，这里的山泉冬暖夏凉，有着丰富的溪鱼资源，还有就是山鸡数量较多。石俭对于捕捉溪鱼和山鸡却是得心应手。

他先选了根乘手的树干，然后把头削尖，便在附近的潭中叉起鱼来。叉到两条个头不大的溪鱼后，他把鱼的内脏去除并刮掉了鱼鳞洗净，又在附近找了点治感冒的草药，煮了锅汤喝了。

接下来的一段时间，石俭捕捉到溪鱼和山鸡后，大部分都风干后储备起来，然后一个月左右去附近的市镇买回些米、面粉和油等物，在山林中过起了半野人的生活。手机早已在离开邑城后便丢弃，他知道有 GPS 定位功能，带着手机就像把自己暴露在阳光下一样。

没有了与外界联系沟通的电子产品，日常时间的消磨，在最初时几乎令石俭崩溃。慢慢地，他试着写一些过往的经历和记录来打发时间，便逐渐沉下心来。等开春万物复苏后，随之而来的食物资源也变得丰富起来，田鸡、蛇之类的野味让在城市中久吃速成产品的石俭几乎顿顿来了个味觉改善。

转眼，一年飞快地过去了。石俭从县城买回的报纸上，对荆石的报道早已烟消云散，取而代之的是各种新的事件层出不穷吸引着大众的眼球。石俭觉得已经没人会对荆石再抱有任何兴趣，他觉得出山的时机已经成熟。

他把山洞整理得井井有条后，随身带上从邑城带出来的一包现金，避开自己老家所属的集镇，走了十几小时的山路，进入了另外一所靠近大山的集镇时天色已黑。选择这座镇子，石俭有他的考虑，一是不容易被老家熟识的人碰到，二是仍靠着山林，便于随时隐入山中。

石俭先去小饭馆吃了碗热气腾腾的面条，然后四处寻找暂时栖身的住处。旅馆都要出示身份证明，石俭不想暴露行踪，他先去浴室待了一晚，次日开始寻找合适的出租房源。

中介同样需要出示身份证明，石俭寻找了大半天，也没个着落。他就近找了个饭馆，点了一个菜一碗饭。

"这是我们店的招牌菜，您要不来个尝尝。"看上去30多岁的女服务员拿着简陋的菜谱向他热情介绍起来。

石俭一看，是山鸡为材料的，顿觉一阵恶心，这东西都吃了一年，早吃腻歪了。他摇了摇头道："就这一个够了，吃了还得去找住的地。"

"您是外地过来的吧？是住旅馆还是要租房住？"女子问道。

"租房住。"石俭看了眼打扮得花枝招展却有几分艳俗之气的女子道。

"真是巧了。我有一间房要租出去，挺干净的，我每天都会打扫。"女子索性一屁股在石俭身边坐了下来。

"一间房？我最好是租一套。"石俭喝了口水道。

"我这房空着也是空着，租出去也能有点收入，你住我那可以搭伙，就不用自个儿操心做饭打扫了，价格也便宜。"女子道。

石俭想了想，这里人生地疏，一时半会儿也难找到合适的租住地，他瞅了下眼前长相不错却有些土气的女子，犹豫了会儿才道："等吃完饭，你陪我去看看房再说。"

草草吃完饭，那女子便迫不及待请了假，领着石俭去看住的地方。

第五十章

七拐八弯来到小巷的深处，一处已经很破旧的老宅呈现在石俭的眼前。

"就是这里。"女子把石俭领进了屋。

"还行。那就这样吧，我晚上回来，现在有事出去趟。"石俭把一包东西放在自己的屋内，提着个黑色垃圾袋出了门。

"晚上可以回来吃，我管饭。"女子在身后道。

石俭回到镇中的主街，找了家网吧。"没带身份证可以上机不？"石俭进门前先把口罩戴上了。

"多出几块钱可以。"收银台上的人从抽屉里拿出张身份证刷了下，递给石俭一张号牌。

坐在久违的电脑前，石俭一阵说不出的感慨。他抚摸着电脑键盘，叹了口气，点开了新闻网页。一下午，他都在搜索关于荆石这一年来的新闻报道。最让他关注的是，小五因故意杀人罪被重判了，但由于是从犯，命还是保住了。他这主犯目前还逍遥法外，全国通缉悬赏缉拿的奖金额度已提高至20万元。

石俭平静地看着对于自己发出的通缉令，荆石主要员工的去向他已经都明了，除了巫大海被轻判并由于认罪态度好而缓刑外，其他人都免予刑事处罚，最大的惩罚莫过于市场禁入。

他出神地望着电脑，过了会儿才缓过神来。点开股市行情，这一年股市的行情突飞猛进，久已低迷的市场走出了凌厉的上攻行情，牛市已重新降临股市。他连看那只令自己陷入滑铁卢的股票的勇气都没有，只研究了下主要的热点和最新的题材概念后，便离开了网吧。

走在镇子的小巷中，石俭心潮起伏。一轮大牛市行情已经呈现在眼前，自己却已无法操盘大资金分享行情的暴利，这对于一个浸淫股市二十年的人来说，比死了更难受。在回到租住地时，他已经想好了对策。

"回来啦？开饭了，来，这边。"女房主对刚进屋的石俭招手示意。

石俭点了点头，先把黑色垃圾袋在自己屋里放好，然后坐到了女房主的对面。他看到在不大的"客厅"里，一台陈旧的"大屁股"台式电脑正开着，上面即时聊天软件还在不停闪烁。

"这台电脑能上网？我想和你商量个事。"石俭边吃着糙米，边瞅了眼女房主。

"你说，别客气。我平时也没什么爱好，就爱上网聊聊天什么的打发时间。"女房主有些不好意思道。

"我想租你的身份证用用，你可以开个价。"石俭道。

"哦，用就用呗，还要给钱？你看着随便给吧。"女房主听到有钱赚，立刻满脸堆笑道。

"是这样的，明天你去镇上证券公司开个户，然后回来把账户交给我使用，我付你租用费。还要签一份协议书，注明账号归我使用，上面的资金也是我出的。你看可以吗？"

"行。证券公司开户吗？就是炒股票对吧？听说最近股票涨得可好呢，我们饭店老板娘也炒股的。我可不懂，也没钱炒，开户我也不懂，要不明天你和我一起去？"女房主道。

"没事，你去了就说开个股票账户，然后就是填些表格，工作人员会教你怎么填。回来把股票账户和银行卡一起给我就可以了。开户需要费用，这几百元你先拿着。"石俭说完从口袋里掏出几张百元放到桌上。

"好吧，我明天就去办。"女房主说完就把钱收了起来。石俭点了下头又道："这电脑白天也借我用下，电费、上网费之类也可以我来出。"

"我白天要去饭馆帮忙，你尽管用。吃菜吃菜。"女房主一脸殷勤道。

隔日，女房主把账户都办好后，石俭和她签了份账户租用协议。石俭把钱存入资金账户后，就开始研究介入什么品种。此时的石俭，还想着用

手上不多的资金东山再起。

又像是回到了从前在股市拼杀的日子，石俭每日耗在电脑前，一步都不踏出租住地，频繁进行着日内超短线交易，长期积累的经验和强势的市场走势，使得账户内的资金快速增长着。虽然每天能面对电脑，石俭却不敢使用电子邮件等工具和岚卉联系，他怕暴露藏身之所，同时也怕给岚卉带来新的麻烦。

唯一令石俭不快的，是来自女房东或明或暗的骚扰。相处了一段时间，石俭对她的身世也有所了解，丈夫外出打工后有了新欢，和女房东离婚后再也没回来，女房东靠给小饭馆打工的微薄收入，一个人过着困顿的生活，所以对钱特别钟爱。

对于石俭来说，喜欢钱的人就容易打交道，万事以经济利益为驱动，办起事来简单爽快。交易了一段时间后，石俭索性把那台老掉牙的运行很缓慢的电脑换成了最新的机型。

这天，女房主中午突然回了家，一进门就对石俭道："家里没米了，不知大哥能否帮忙去买点米回来？"石俭犹豫了下，却不好意思开口拒绝，只得拿着米袋子离开了租住地。

等石俭扛着一袋子米回住处时，女房东已经不在。石俭也没在意，把米扔厨房后，就又坐到电脑旁看起股票行情来。

正当他专心致志做着短线交易时，屋外传来了轻轻的敲门声。石俭怔了怔，突然感觉到一阵心悸。敲门声越来越大，"挂号信。"屋外有人大声不耐道。

石俭迟疑了会，起身轻轻猫到大门边从门缝里向外张望。只见一个穿着邮局制服的年轻人正手拿一叠信件站在门外。石俭把门开了条缝道："房主不在，你等会再来吧。"

门一下被拉开，几个人一拥而上，石俭还没反应过来，就被扑倒在地。有人把石俭的双手扭到了背后，有人拿着张纸托起石俭的下巴认真比对着，石俭脑中一片混乱，眼冒金星，此时的他，从心底蹦出几个字："这下完了。"

"没错，就是他。先带回去。"

石俭听到一个严肃的声音命令压着他的身子的人道。当他被众人押着走出巷口时，一眼瞥见女房东正站在街角处，嘴角带着一丝不宜察觉的嬉笑向他张望。

"大江大河的风浪经过无数次都没翻船，这次阴沟里翻船。报应！报应！"石俭此时万念俱灰，深深吸了几口气，喃喃道："这恐怕是最后能呼吸的几口自由的空气了。"

"同志，我还有最后一笔钱，放在这个账户里，你们去取出来，能赔偿谁就赔偿一点吧。这个账户是女房东的，我租用她的账户用作炒股之用，签有协议书，协议书放在房间床头柜的抽屉内。"

"我看了下搜查清单，没有你所说的协议书。"办案人员锐利的双眼狠狠盯着石俭道。

"那天女房东中午回来过，把我支出去买米。应该是她把协议书藏匿起来后再报的案，这样既能得到 20 万元的悬红奖金，又能吞了我这笔数额还不算太小的钱。你们都被她玩弄于股掌之间了。"石俭露出一丝自嘲的笑容，眼望脚尖，再也不说一句话。

尾　声

云在天让唐瑭从账户上转出一大笔资金，然后回到原先居住的城市。他把放有巨款的袋子塞到桐桐外婆手上后，没说话就离开了医院。

云在天推门进入曾经生活了几年的旧居，除了厚厚的灰尘外，还有抹不去的深刻记忆。他打开书桌第一个抽屉，取出了银行卡，见旁边还有个白色的信封。他打开信封，里面是张薄薄的小纸片还有个生肖玉石挂件，云在天知道，这是桐桐戴在手腕上的玉饰。

> 师傅，你不和我告别就走了，我很伤心，大哭了一场。这是我平常戴的玉饰，我没什么礼物送给你，这个就给你做个纪念吧，我相信你还会回来的。

云在天看完纸片上娟秀而略带稚嫩的文字，握紧这块似乎还带着她体温的玉石，眼睛望向窗外依旧人流穿梭的街巷，一股忧伤和怅惘之意从心头泛起，久久挥之不去。

（本故事所涉人物、公司及情节等均属虚构，请勿对号入座。股市有风险，入市需谨慎！）